*Anne du Luberon*

*Nicole Descours*

# *Anne du Luberon*

ROMAN



*Albin Michel*

22, rue Huyghens, 75014 Paris

ISBN 2-226-06940-2

*À Jean-Louis*

DES marches de pierre descendent de la bastide jusqu'au gazon découpé en terrasses. Tout en bas, un bassin recueille les jets d'eau qui ruissellent depuis les chiens de pierre sculptés sur la margelle de la fontaine. S'ils épousent le mouvement de l'eau, les yeux s'arrêtent bientôt à une balustrade de fer forgé. Au loin, à perte de vue, les vignes d'une fin d'automne. Une éclaboussure d'or et de couleurs, une farandole de grappes pourpres, violettes, qui réchauffent le ciel de plus en plus pâle.

Une villa romaine fut construite autrefois, à cet endroit. Immense, elle étendait ses dépendances au-delà de la colline, de l'autre côté de la bastide. La terre ne l'oublie pas, qui rend presque à regret des fragments de brique et de marbre, des souvenirs d'amphores et de jarres, de chemins d'eau taillés dans la pierre.

Les ceps de vigne frémissent, les feuilles s'écartent, un jeune homme en toge, le front ceint d'un bandeau, apparaît. Il s'appelle Horatius. Il vient des profondeurs de la terre, au plus lointain des temps. Il fronce les sourcils, il a vécu dans cette villa. Il regarde autour de lui, sourit au ciel, aux pierres, aux rayons du soleil qui bleuissent les raisins. Rien n'a changé. Il traverse les vignes d'un pas léger, un enfant oublieux du passé qui l'a vu naître.

# I

ANNE sursauta, réveillée par un vent froid, humide. Elle repoussa le drap, jeta un regard par la fenêtre qu'elle gardait toujours ouverte pour dormir. Des toits d'ardoise qui dévalaient en pente douce sur des rues boueuses, des maisons sévères et dignes qui alignaient des murs aux ouvertures identiques et aux lucarnes rondes. Partout, l'obsession de l'ordre et de la logique. Pas de doute, elle se trouvait bien à Richelieu, la ville dans laquelle son mari et elle avaient élu domicile pendant quelque temps. Elle se retourna sur la forme qui dormait encore à côté d'elle, son mari. Chaque jour, elle se blottissait contre ce corps engourdi qu'elle réchauffait, ce sourire qu'elle cueillait sur ses lèvres dès le réveil et dont elle ne se lassait pas.

Anne Arquial était belle. Des yeux bleu sombre, avivés par une auréole de cheveux châtains, au reflet roux, une profusion de boucles qui adoucissait son port de tête, hautain, presque dédaigneux pour qui ne la connaissait pas. C'est cette pudeur, étrangère aux afféteries du commun des femmes qui avait attiré Colin vers elle, mais Anne ne le savait pas. Ce matin-là, elle parla de l'automne.

— L'automne, mais nous ne sommes qu'au printemps, rectifia Colin.

— C'est vrai, je dois être impatiente.

Il se redressa sur sa couche et la dévisagea avec attention. Il était plus âgé qu'elle. Ses yeux bleus, plus clairs que ceux d'Anne, trahissaient, aux dizaines de petites rides qui en voilaient le sourire, l'indulgence apprise aux épreuves de la vie.

— Tu as tort, dit-il enfin. Tu es jeune et moi, j'ai tant de projets à mener que cent années n'y suffiraient pas. Regarde le soleil qui point derrière la brume, ajouta-t-il en se penchant vers la fenêtre, les carrioles qui vont et viennent, ce grand chantier qui nous nourrit Jean et moi, qui nous aide à embellir notre maison de Champigny.

Anne fronça les sourcils.

— Tu as l'air tout triste ! Un mauvais rêve, sans doute.

— Sans doute, répéta son épouse, pensive.

Pourquoi ne lui parlait-elle pas de son rêve, cette vision mystérieuse du jeune Romain, cet éblouissement de lumière qui avait traversé sa nuit ? Elle secoua la tête. Elle n'avait rien à se reprocher, après tout.

— Tout va bien, reprit-elle en posant la tête sur son épaule, c'est cette nouvelle maison que tu nous prépares avec Jean, à Champigny, il me tarde de l'habiter, c'est tout.

Ils étaient mariés depuis quelques mois, déjà, mais Anne avait toujours aussi vivaces à la mémoire les images de ce jour qui l'avait enlevée à ses parents pour la confier à cet homme secret et mûr qu'elle n'avait cessé de convoiter depuis qu'il avait été appelé à Richelieu, cette ville surgie de rien, édifiée sur son fief par le puissant cardinal-ministre, bâtie sur un caprice comme dans un songe, un rêve de symétrie harmonieuse. Maître sculpteur de renom, Colin était installé non loin des parents d'Anne et avait sans peine fait leur conquête.

— Il a vingt ans de plus que moi, mais n'est-ce pas ainsi que les choses doivent être entre époux? Les femmes vieillissent plus vite! s'était enflammée Anne après que Colin fut passé demander sa main.

Elle sourit, alanguie dans ses draps, revoyant le matin de ses noces, Colin, ému dans son habit ponceau fendu dans le dos sur ses chausses flottantes de couleur puce, sa chemise de monsieur qui se rabattait, toute blanche, sur ses épaules, ses cheveux blonds, à peine striés de fils blancs, son regard, grave, de compagnon qui sait travailler la pierre. Quel beau jour! Elle était entrée dans l'église encadrée de ses parents, d'un tel élan que sa coiffe tourangelle paraissait s'envoler au-dessus de ses cheveux bruns gonflés en chignon, l'œuvre de sa mère qui s'était usé les yeux très tard dans la nuit, à la lueur d'une bougie pour coudre le tout. Elle portait une robe en drap de laine d'un brun clair, dont la jupe, très étoffée derrière, signait son statut de dame et s'ouvrait sur un motif rayé bleu et blanc. Le corsage, ajusté, mettait sa taille fine et longue en valeur. Le décolleté carré découpait sa gorge fraîche et s'évasait en de larges manches, resserrées aux poignets par un morceau de linon. Ses pieds, douillettement enveloppés de bas de soie, jouaient dans leurs chaussures de tissu.

— Que tu es belle!

Colin était resté à l'écart, ébahi de la métamorphose qui faisait de la petite sauvageonne une dame, sa dame à laquelle il allait unir son destin pour la vie. Il avait formulé son oui dans un cri du cœur, elle avait balbutié le sien, étouffée d'émotion, le prêtre avait présenté les anneaux d'alliance et serré les jeunes mariés contre son cœur. Une belle journée, décidément.

S'il n'y avait pas eu Jean. Anne ne pouvait se défendre d'un sentiment de tristesse quand elle songeait au fils adoptif de Colin, ce frère compagnon, contemporain d'elle par l'âge qui avait uni son destin à celui de son époux depuis si longtemps. Jean sculptait la pierre comme Colin et avec lui œuvrait sur le chantier de Richelieu. Les deux hommes travaillaient sur la future maison d'Anne et de Colin à Champigny, Jean se montrait toujours poli, presque amical à son égard. Que trouvait-elle à redire ? Que Jean ait connu Colin bien avant elle ?

Anne souffrait du passé de Colin. Certes, elle n'espérait pas d'un homme de son âge qu'il n'ait rien connu avant elle, ni femme ni enfants, mais elle n'avait pas prévu que Colin, derrière son regard clair, imperceptiblement usé, dans son sourire, un peu las, parfois, porterait une telle souffrance. Que Jean, le témoin des premières heures, ne manquait pas de lui rappeler par sa simple présence. Colin lui avait pourtant raconté son passé, lors de leur promenade favorite, non loin du village où habitaient les parents d'Anne. Un chemin serpentait autour d'un bois de chênes, ils avaient élu domicile sur un talus, en face, d'où le regard embrassait la plaine, le village et la maison de la jeune fille, détail qui l'amusait beaucoup.

— J'aime bien imaginer qu'ils pourraient nous voir là où nous sommes, s'était-elle esclaffée un jour devant Colin.

Il n'avait pas répondu, pas même souri. C'était un homme si grave, après ce qu'il avait vécu ! Anne soupira, se souvint des confidences de son amoureux, en cette belle nuit d'automne. Elle avait pris l'habitude de s'échapper le soir, à l'insu de ses parents, et de le retrouver dans le petit chemin, chaque fois plus ardent.

— Anne, mon amour !

Il l'étreignait de baisers, serrait sa taille, frémissante et libre sous la chemise de lin, caressait ses hanches, ses jambes, ses chevilles. Jusqu'à cette fameuse nuit, où sa main s'arrêta.

— Regarde les étoiles, ma mie, elles brillent et me rappellent ce passé, que je n'oublierai jamais.

Et il parla, longtemps, d'une voix monocorde que troublait par instants une inflexion de tristesse, un sanglot qui ne s'épanchait plus. La rivière coulait, paisible, en contrebas. Allongée sur l'herbe, à ses côtés, Anne écoutait, douloureuse, la tragédie de son amoureux défiler au rythme des nuages. Ses débuts de compagnon à Champigny, ville heureuse qui avait béni ses tâtonnements d'apprenti, les voyages à travers le pays, ce lent cheminement qui fait de vous un maître, respecté et aimé dans son travail, cette maison que de ses mains il avait édifiée pour sa femme et son fils. Colombe ! Son rire qui éclatait au soir, la porte ouverte sur la joie et les gazouillis de son enfant, cette chaleur qu'il retrouvait chaque jour sans plus la remarquer, malheureux ! Puis il raconta la peste, ce fléau surgi du fond des âges, cette goule insatiable qui sautait de village en village, rongeant et décimant. Elle avait frappé, la meurtrière, lui enlevant en quelques jours les deux êtres qui lui étaient les plus chers. Il s'était tu. Comment lui dire ce désespoir, la révolte, ce dégoût des roses qu'elle avait plantées et qui embaumaient à le faire mourir, les oiseaux qu'elle aimait tant et dont le chant lui vrillait les oreilles, cette détestation qui peuplait la maison, le jardin, la terre tout entière de bêtes immondes, jaillies des profondeurs de sa haine et dont il sculptait avec rage les formes torturées ? Colin s'était enfermé pendant des mois, ne dormant plus, mangeant à peine, replié sur une douleur qui le rendait pareil à une bête. Le salut lui était venu un matin, sous la forme d'un apprenti, un jeune garçon que le destin lui avait envoyé ; Colin s'était fâché, l'avait chassé. Mais, saisi de remords, il l'avait pris sous sa protection, lui avait offert le gîte, le couvert, un métier et, pour conclure, l'avait adopté.

— Tu m'as sauvé de la folie, il est juste que tu deviennes mon fils.

Anne se leva, irritée, se pencha pour faire le lit. Elle devait oublier ce passé, Colin le lui avait fait promettre.

— Nous commençons une vie nouvelle, il ne faut pas se retourner sur ce qui ne reviendra jamais plus.

Pourquoi s'obstine-t-il à voir Jean, en ce cas ? Anne rageait de savoir que Colin et Jean se retrouvaient chaque jour sur le chantier du château. Colin ne lui avait-il pas annoncé qu'ils travaillaient à remettre en état la maison de Champigny ?

— Nous aurons un nouveau départ, ma mie, donne-moi seulement quelques mois pour m'en occuper.

Anne s'était résignée. Un contexte différent, une maison provisoire, le séjour à Richelieu permettraient à son mari d'oublier la jeune morte. Telle était sa conviction, vite démentie par des incidents, des petits riens insignifiants à première vue, mais qui la blessaient comme les signes, à jamais douloureux, de la malédiction.

Ainsi de leur première soirée. Elle s'activait autour de la table de bois, attentive à ne rien oublier du dîner, fébrile, emplie d'une telle joie qu'elle chantonnait en portant les écuelles, en sortant la cruche du buffet.

— Colombe aussi chantait, le soir.

Elle avait rêvé ! Les larmes étaient venues, si promptes qu'elle avait dû sortir sur un prétexte quelconque, pour les essuyer.

Et cet autre soir. Elle guettait le retour de son mari, postée près de sa fenêtre. Sa voix, impatiente, sa course sur le chemin.

— Colombe, ma belle, attends-moi, j'arrive !

Sa gorge qui se noue, ses mains qui se crispent contre le rebord de la chaise. Il ne l'oublierait jamais ! Elle ne serait jamais que la remplaçante de l'autre, sa femme. Ce soir-là, elle avait pris une résolution. Elle se montrerait forte, déterminée. Année après année, elle terrasserait le fantôme. Elle s'était tournée vers la porte, s'était élancée dans les bras de son époux. Leur entente était si grande, leur vie se déroulait sans heurt!

Anne sourit, s'approcha de la glace fixée dans un coin de la pièce. Elle allait s'habiller, sortir faire son marché, préparer la maison pour le retour de Colin. Elle aimait tant l'entourer de ses bras quand il partait le matin et rentrait tard le soir. Pourquoi, ce jour-là, cette perspective lui semblait-elle moins douce?

Tandis qu'elle s'installait à Richelieu, s'occupant à organiser son intérieur, Colin et Jean poursuivaient leur projet, toujours secret, de modifier de fond en comble la maison de Champigny. Ils avaient trouvé sur le chantier du château quantité de bonnes volontés, charpentiers, maçons, tailleurs de pierre, heureux de s'associer au bonheur du jeune couple qui venait s'installer dans leur pays. Fidèle à son fils adoptif, Colin se préoccupa également de lui obtenir un logement proche, une chambre chez une veuve qui habitait une ferme à une demilieue du village. De cela, il n'avait pas parlé dans son couple, se réservant le soin de surprendre sa jeune femme. Elle ne manquerait pas de se réjouir d'avoir quelqu'un de la famille, si près d'eux!

La maison de Champigny ressemblait à une maison de poupée, un foisonnement de fleurs et de couleurs qui s'accordait au tempérament, léger et primesautier de son ancienne propriétaire, Colombe.

— Pour Anne, il faudra trouver autre chose.

Jean avait hoché la tête et les deux hommes avaient réfléchi à une disposition plus conforme aux goûts de la jeune femme.

— La chambre, tiens. Colombe était toujours curieuse, à s'occuper des moindres faits et gestes des voisins, à les observer du matin au soir. Anne est plus discrète. La chambre ne doit plus donner sur la rue, mais sur le potager et le verger, à l'arrière.

A côté de leur chambre, Colin avait décidé d'en installer une autre, qui accueillerait des parents de passage ou Jean, s'il se sentait trop fatigué pour rentrer chez lui, après le dîner. Côté rue, un mur couperait l'ancienne chambre afin de créer une garde-robe, ce qui laisserait assez de place pour une resserre. La cuisine, elle, augmenterait de surface afin qu'une table plus grande puisse les réunir tous, loin du fourneau. Puis n'était-il pas plus agréable à une maîtresse de maison de cuisiner en observant la rue ?

Colin était compagnon, ouvrier d'expérience et de talent. Il savait qu'on n'ouvre pas une porte sur le côté d'une maison. Il avait pris cette décision sans hésiter, pourtant. Il devait murer les souvenirs, supprimer à tout jamais les battants de bois que sa main avait heurtés maintes fois, repoussés avec tant de joie. Pourquoi pas ? Il entrerait dans sa maison en passant par le jardin. Elle serait la même et une autre, prête à accueillir sa nouvelle vie.

Enfin, il eut une longue discussion avec Jean, son fils dévoué qui avait veillé avec lui aux arrangements des lieux. Jean lui avait annoncé une surprise :

— Mon père, je vous souhaite tout le bonheur que vous méritez. Vous avez choisi une épouse digne de vous et une maison qui portera votre bonheur pendant votre vie entière. Grâce à vous, je suis sorti de l'enfance, je suis devenu un maître, un vrai. Je tiens à ce que ma première sculpture, mon œuvre, marquée du signe de la maîtrise que vous m'avez aidé à conquérir, soit pour vous. Je sais où je voudrais lui voir élire domicile.

Il souleva sa large chemise, empoussiérée des travaux de la journée, en sortit une esquisse qu'il tendit d'une main tremblante à son père.

— CCJ.

Colombe, Colin, Jean.

Les yeux de Colin s'embuèrent, sa main se crispa. Il releva la tête, croisa le regard si confiant, si sincère de Jean, son ami de toujours. Quelle belle idée de graver sur le fronton de la maison, dans un cartouche, le nom d'une jeune morte qui y avait coulé des jours heureux ! Il donna son accord d'une voix grave.

Tandis que les deux hommes travaillaient à la surprendre, Anne tentait d'organiser son quotidien. Il n'était guère plaisant de vivre à Richelieu, cette ville sans passé et sans tradition qui charriait des arrivants, aussi embarrassés qu'elle-même. Elle regrettait parfois le village de son enfance, ces places où les enfants jouaient sous le regard des parents qui les connaissaient tous, les marchés qui résonnaient de clameurs et d'appels joyeux, ces tombes, au bout du chemin, qui rappelaient les familles au souvenir de leur passé. Ici, les gens se croisaient sans se saluer, les rues, poussiéreuses, grouillaient de carrioles chargées de pierres et d'outils. Les commerçants, nouvellement installés sur l'ordre du cardinal, n'avaient pas encore d'échoppe attitrée, de sorte que le ravitaillement se faisait encore sous les halles, selon les aléas du transport. Anne s'y rendait à contrecœur. Elle détestait les questions des commères sur son mari, les raisons qui les avaient amenés à s'installer dans la ville, s'ils souhaitaient y rester lorsque le château du cardinal serait construit, si la différence d'âge ne les gênait pas.

— Un bel homme comme ça, il a dû en avoir des aventures !

Elles se multipliaient en propos désobligeants dès qu'Anne, la Fière, comme elles l'appelaient entre elles, avait tourné le dos. Anne se hâtait de retrouver la rue, un spectacle étonnant, en vérité. L'artère principale, bien que terminée depuis près d'un an, restait en effet déserte. Les hôtes des maisons, livrées en temps voulu, ne se pressaient pas d'habiter cette ville en chantier. Les édifices publics, achevés avec un renfort de détails somptueux, le plan de la ville, un mirage d'architecte qui faisait se croiser les rues à angle droit, manquaient de réalité. Il arrivait à la jeune épouse d'y voir une image de son propre mariage.

Trêve de morosité ! Elle secoua son panier, attentive à se rappeler une scène qui l'avait marquée, une explosion de vie dans cette cité sans réalité.

Deux semaines auparavant, elle se rendait au marché, attentive à éviter la boue projetée par les innombrables carrioles qui sillonnaient la ville, quand elle remarqua un attroupement de badauds, un peu plus loin. Elle s'étonna. Les habitants de la ville n'avaient pas coutume de se regrouper, pour deviser ou échanger les potins comme elle l'avait toujours vu dans son village natal. Ils se croisaient, la mine préoccupée, et s'affairaient chacun dans sa direction sans même donner l'impression de se voir.

Il devait se passer quelque chose de grave, un accident, ou une proclamation dont elle n'avait pas eu vent. Elle se hâta derrière le peloton qui grossissait au coin de la rue, un peu inquiète. Que ne fut pas son étonnement en découvrant, de l'autre côté du tournant, un équipage magnifique ! Deux voitures couvertes de dorures et de blasons rutilaient, attelées à des chevaux magnifiques, des bêtes à la robe luisante, au jarret fier, à la crinière si soyeuse qu'on l'eût cru peignée par quelque main humaine. Une foule de serviteurs s'agitaient, valets de pied ou nobles, Anne n'aurait su le dire, éblouie qu'elle était par le luxe de leur tenue, des habits de velours aux reflets vert sombre qui révélaient par endroits le luxe d'étoffes de brocarts à ramages, des teints roses, plus lisses que la plus fraîche des jouvencelles. Et que dire des dames ! Elle suspendit son examen, bouche bée, devant l'apparition, toute de grâce et de splendeur.

Anne savait que la beauté n'est pas qu'affaire de naturel ni de don des fées, que de beaux vêtements et une toilette régulière favorisent son éclat. Elle-même avait pris conscience, à l'émoi qu'elle lisait dans le regard des hommes, aux remarques perfides que glissaient les commères derrière son dos, qu'elle n'était pas sans attrait. Mais sa joliesse dont elle se souciait peu, confiante dans sa santé de paysanne, n'était en nulle façon comparable à la beauté, éclatante, rehaussée de myriades de pierres, d'étoffes, de matières et de couleurs, des dames qui lui faisaient face. Elle n'en conçut aucune jalousie, seulement un ébahissement un peu nostalgique. Le destin... Elle était née dans un village, sa mère, une femme douce, aux hanches élargies par les cinq maternités, dont il ne restait plus qu'Anne, ses frères et sœurs ayant disparu à la naissance ou plus tard, emportés par la peste, les amies de sa mère, créatures courageuses qui avaient fait face aux épreuves de la vie et aux caractères violents, emportés, ou au contraire trop faibles de leurs maris, toutes ces femmes qui avaient entouré son enfance lui avaient offert le portrait de la vie qui l'attendait. Rude et sans douceur excessive, un temps paisible rythmé par la succession des saisons, les fêtes de village, les maternités et les décès. Nul espace ne s'y dessinait où se serait glissé le luxe d'une toilette, la futilité d'apprêts sans lendemain. Anne n'avait jamais imaginé de destin préférable au sien. A quoi bon, d'ailleurs ? Elle devait s'estimer heureuse d'avoir rencontré Colin, un mari bon et sérieux qui ne voulait que son bonheur. Elle n'allait pas rêver des existences de chimères qui la rendraient à moitié folle ou la plongeraient dans les errances des femmes de mauvaise vie, comme certaines de ses amies, séduites par le faste de la ville.

Cette sagesse dont elle s'enorgueillissait d'ordinaire,

heureuse de son sort et ne souhaitant pas en changer pour un empire, ne l'empêcha pourtant pas de mentionner l'étrange visite à Colin, le soir même. Celui-ci jeta un regard moqueur sur ses yeux brillants, ses mains qui s'agitaient, nerveuses, impuissantes à décrire un tel faste.

— Quel enthousiasme, ma mie ! Sais-tu que ces belles dames ne font rien d'autre de la journée que de préparer ces atours que tu admires si fort ?

— Elles ne s'occupent pas de leur maison ?

— Peut-être, mais elles ne veulent pas qu'on le voie, elles préfèrent plaire.

— Elles sont futiles, alors ?

— Pas toujours. Il leur arrive de venir en aide aux malheureux. Hélas ! tous les Grands ne sont pas ainsi. Leur cupidité et le souci de leur gloire leur font souvent négliger le peuple qui les soutient. Tiens, tu te rappelles, l'an passé, ce cortège de Monsieur, le frère du Roi ?

Anne joignit les mains.

— Mon Dieu, comme il menait grand train ! C'était magnifique !

— Tu ne crois pas si bien dire. Ce Gaston d'Orléans que tu admires n'est qu'un jaloux, un ambitieux qui n'aspire qu'à la lumière. Chaque jour, en se levant, il regrette de ne pas être le monarque.

— Qui te l'a dit ?

— Des compagnons qui venaient de la capitale. Il aurait comploté contre Richelieu, notre ministre, contre le Roi lui-même.

Anne haussa les épaules.

— Je ne comprends pas. Il n'est pas le fils de notre reine, il n'y pourra rien changer.

Colin sourit et lui pinça la joue.

— Quelle sagesse dans cette jolie tête ! Monsieur n'est pas comme toi, hélas ! Tant que notre roi n'aura pas d'héritier, il n'attend que l'occasion de monter sur le trône.

Anne se signa rapidement.

— Ne parle pas de malheur. Nous avons un bon ministre, un grand roi.

— Certes, mais les campagnes s'agitent tout de même, on m'a parlé de révoltes.

— Des querelles de religion, encore ? Je pensais que, depuis l'édit de Nantes, on avait fait la paix avec les huguenots !

— Oui, mais les campagnes sont toujours pauvres, le Trésor royal n'en a cure. Il augmente les taxes et les paysans souffrent. Certains deviennent si pauvres qu'on les appelle « les croquants » parce qu'ils ne peuvent plus vivre de leurs récoltes.

— Les malheureux...

Colin prit sa femme par la main.

— Voilà bien des soucis pour ce joli front ! Ne t'inquiète pas pour nous. La terre est riche, le climat doux, je ne manque pas de travail. Je ne te savais pas si curieuse de ces questions.

Anne ôta sa main d'un geste brusque.

— Cesse de te moquer de moi ! J'ai des oreilles et des yeux ; quand j'entends les gens discuter, j'écoute, même si je ne comprends pas tout.

Colin haussa les épaules.

— Comme tu veux. Enfin, ne t'inquiète pas. Le roi et son ministre feront face à tout, tu pourras dormir tranquille.

Il se pencha en avant et entreprit de se dévêtir pour la nuit. Anne resta immobile, la langue brûlante de toutes les questions qu'elle aurait voulu poser. Elle souleva une écuelle, frustrée, et desservit la table du souper.

Par bonheur, ces scènes se faisaient rares. Les époux se retrouvaient pour de tendres discussions, de doux projets, Anne évitant désormais d'importuner son mari avec des discussions qui ne la concernaient pas. Puis Jean les rejoignait souvent pour le souper, après les travaux du jour. Un soir, deux soirs, il fut sans paraître. Anne s'en étonna.

— Fini, ma mie, Jean est retourné à Champigny. Je lui ai trouvé une chambre à côté du village.

— Et nous ?

Anne agrippa la manche de Colin, les yeux emplis d'espoir. Jean était parti, ils se retrouveraient seuls enfin ! Son mari se tourna vers elle, la bouche élargie en un sourire franc, joyeux, comme elle ne lui en avait jamais vu.

— Nous allons le rejoindre ! Tu n'as pas fini d'être surprise !

— Surprise ? balbutia la jeune femme, la gorge serrée de sanglots.

— Tu ne reconnaîtras pas la maison, nous l'avons transformée de fond en comble !

— C'est donc cela que vous complotiez tous les deux, avec vos mines de vieilles sorcières ! J'aurais dû me douter...

Elle baissa la voix, la tête sur le menton, piquée dans son amour-propre. Elle ne comptait pas, ils agissaient sans se soucier d'elle.

— Vous auriez pu me mettre au courant, j'aurais pu apporter mes idées, me rendre utile, nettoyer la maison après les travaux.

Son mari haussa les épaules d'un air indulgent.

— Ce n'est pas un travail de femme, et Jean m'a bien aidé.

— Jean, toujours Jean, tu n'as que son nom à la bouche !

Anne rougit, surprise de sa propre véhémence, puis des mots qui jaillirent sans qu'elle puisse les arrêter.

— J'ai l'impression d'avoir deux maîtres au lieu d'un !

Colin resta pantois, la mine déconfite. Il lui prit la main et l'entraîna doucement dans le jardin qui se trouvait derrière la maison.

— Anne, ma douce, que t'arrive-t-il ? Jean t'aime si fort. Et moi, je tiens tellement à vous deux que je ne puis imaginer qu'une ombre vienne ternir notre bonheur. Veux-tu vraiment que Jean nous quitte ?

— Non, protesta Anne, confuse.

— Tu sais combien tu m'es chère, et le bonheur que j'ai à vivre avec toi chaque jour. Mais comprends bien. Tu ne m'aurais jamais rencontré si Jean ne s'était pas trouvé à mes côtés, après la disparition de Colombe. Il m'a sauvé de la folie, de la mort aussi.

Il lui jeta un regard très triste, l'attira vers lui.

— Viens, appuie-toi contre mon épaule. Tu ne dois pas être jalouse du passé.

Anne fixait le sol, silencieuse. Il fallait qu'elle lui dise, qu'elle essaie de lui expliquer.

— Colin, j'ai honte, reprit-elle d'une voix sourde. Je suis une mauvaise femme. Non, ne dis rien, je devrais me contenter du bonheur que tu m'apportes, mais j'ai du mal. Avant toi, tout était tellement simple, facile. Mes parents, mon village.

Elle releva la tête, ses grands yeux obscurcis par les larmes.

— Tu as surgi, comme dans un conte de fées, et je t'ai aimé tout à coup, sans retenue, sans pudeur...

— Sois sans crainte, je t'ai un peu forcée de mon côté.

Elle eut un petit rire.

— Je ne regrette rien. Dès que je t'ai vu, j'ai compris que je ne pourrais plus jamais vivre sans toi. Je n'avais pas prévu que je devrais vivre avec ton passé, tous ces gens que tu as connus et aimés, tous ceux dont tu parles à l'occasion, qui te rendaient heureux et que tu regrettes...

— Tu ne peux pas être jalouse d'une morte, poursuivit Colin, d'un ton très doux.

Anne ne répondit pas. Il se tourna vers elle, lui posa les mains sur les épaules.

— Comprends-moi, mon aimée. Je t'ai choisie, toi et toi seule. Il n'est malheureusement pas en mon pouvoir de faire en sorte que ce qui a été ne soit plus.

— Je sais bien, rétorqua la jeune femme avec inquiétude, remarquant la ride de désespoir qui creusait le front de son mari. Mais ce n'est pas ton passé qui m'attriste, avec ses joies et ses malheurs. Je souffre seulement de ne pas réussir à m'imposer par-delà tes souvenirs.

— Que tu crois.

Il avait chuchoté ces derniers mots. Elle le regarda sans comprendre, s'avança dans le jardin.

— Champigny, dis-tu. Sais-tu bien que je vais vivre dans la maison de Colombe, que je vais dormir dans le lit de Colombe, que je vais travailler la terre où Colombe a planté ses fleurs et ses fruits, que j'ouvrirai mes fenêtres comme Colombe, que je chantonnerai au coin du feu, en t'attendant, comme Colombe l'a fait mille fois avant moi !

Elle leva les bras, prit à témoin le ciel, les arbres.

— Certains soirs, en me couchant à tes côtés, je me fais l'effet de n'être rien, ni un être ni une chose, simplement une machine à entretenir ce passé qui m'étouffe.

Elle s'effondra en sanglots.

Une telle violence laissa Colin sans voix. Voilà que cet édifice, nouveau, prometteur, ce projet d'une vie différente qu'il travaillait à construire depuis des mois s'effondrait ! Il s'était imaginé que cette nouvelle maison suffirait à asseoir un bonheur sans ombres ni larmes, une voie différente qui le conduirait vers l'avenir d'un bon pas. Et il découvrait ce désespoir, cette jalousie qui le laissaient interdit.

— Anne, ma douce !

Il la serra dans ses bras, lui proposa tout ce qui lui passa par la tête. Rester à Richelieu, laisser la maison de Champigny à Jean, partir sur les routes, ailleurs.

— Où irons-nous ?

Anne s'était ressaisie. Elle le regardait, les yeux gonflés, son regard avait retrouvé son calme. On y lisait cet orgueil qu'il aimait tant...

— Nous irons à Champigny tous les deux, Colin. Cette maison deviendra la mienne, la nôtre. J'en fais le serment. Maintenant, laisse-moi, j'ai à faire dans la cuisine.

Colin lui étreignit la main, le cœur soulevé de reconnaissance, d'admiration, d'allégresse. Une seule pensée, fugitive, étincelle furtive, lui vint en la regardant s'éloigner d'un pas fier.

CCJ

N'aurait-il pas dû lui parler de ces initiales qui ornaient le fronton de la maison où elle allait passer le reste de sa vie ?

— Bah, il sera toujours temps !

Il leva la tête vers le ciel et sourit.

## II

JEAN hésita devant la porte, se retourna pour contempler son œuvre : des dizaines de mottes de primevères, jaunes, blanches et roses, qui égayaient de leurs teintes vives les marches du perron.

— J'espère qu'elles lui plairont.

Il cligna des yeux, fatigué. Il s'était levé avant l'aube et avait talonné son cheval pendant tout le trajet pour accueillir le jeune couple dans sa nouvelle maison de Champigny. Accueillir à sa façon, puisqu'il ne serait pas présent. Ses fleurs fraîchement repiquées depuis la forêt voisine et les initiales gravées au-dessus du perron parleraient pour lui. Il s'approcha de son cheval qu'il avait attaché à la barrière et s'éloigna, pensif. Pour la première fois, il passerait la journée sur le chantier sans Colin.

Jean aimait Colin. Si ce dernier estimait lui devoir la vie, lui-même se sentait profondément redevable à son endroit. Jean n'était qu'un gamin perdu, un orphelin, quand Colin l'avait recueilli. Étaient-ce leurs origines communes — ils étaient tous deux de parents paysans — ou bien cette ressemblance diffuse qui les faisaient paraître deux frères ? Minces également, les tempes durcies par la concentration et le labeur, les mains longues et musclées, les yeux étonnamment clairs, presque transparents. Vingt ans les séparaient, mais Jean percevait chez Colin une fragilité qui égalait la sienne. S'il ressemblait encore à un enfant avec ses bras minces, sa corpulence chétive qui le faisait moquer des compagnons, de solides gaillards résistants à la tâche et au vin, Colin, lui, imposait le silence. Son expérience, sa renommée de maître tailleur, sa tragédie familiale impressionnaient autant que sa silhouette, lourde, massive. De dos, ils paraissaient père et fils, de face, deux frères. Enfin, ils ne buvaient ni l'un ni l'autre, Jean parce qu'il ne supportait pas l'alcool, Colin parce qu'il se méfiait de sa propension à la mélancolie.

Jean talonna son cheval, la mémoire arrêtée aux premiers jours de sa rencontre avec son père adoptif, une épave avinée, un homme brisé, déchu, qui le regardait sans le voir. Il l'avait aimé du premier coup d'œil... et avait eu raison. Colin lui avait ouvert sa porte, son cœur, sa confiance. Il lui avait appris son métier et l'avait reconnu comme son fils.

Puis Anne avait surgi, une vraie rencontre pour Colin qui souffrait de ne pas avoir de femme, un incident pour Jean qui se passait fort bien de la présence du sexe faible à ses côtés. Çà et là, une ribaude ramassée à quelque coin de rue, une paysanne qui vous accorde le gîte, le couvert et un peu plus, mais rien qui ressemble à ce contrat exigeant, lourd et long, du mariage. Il s'était indigné, avec discrétion, car il avait vite compris qu'il ne servait à rien de contrer son père adoptif. Mieux valait le fléchir par les sentiments, la persuasion, jouer avec le temps. Jean n'avait établi aucune stratégie pour ou contre le mariage de Colin. Il attendait seulement de voir. Anne l'intriguait, secrète, mais déterminée, une femme qui le changeait de celles qu'il avait côtoyées jusque-là. Il admirait sa beauté et se sentait gêné quand Colin le laissait seul en sa compagnie. Il préférait encore les voir tous les deux que de ne plus le voir, lui. De toute façon, il n'avait pas le choix. Il lui fallait ménager Anne s'il voulait rester proche de son père adoptif. Personne n'était immortel, Colin était un bel homme, ouvert aux charmes des donzelles qu'ils croisaient dans leurs périples, tout restait possible.

— Allons, cessons de rêver !

Il piqua des deux et regagna Richelieu.

En début d'après-midi, une carriole chargée de linge, de vêtements, de vaisselle et de provisions cahota sur le chemin qui conduisait à la maison. Colin sauta le premier au sol et se posta en avant, guettant avec inquiétude les réactions de sa femme. Anne s'était arrêtée, la main sur le portillon du jardin. L'émotion empourprait jusqu'à son front.

— Est-ce bien la maison ? demanda-t-elle d'une voix tremblante. Je ne la reconnais pas.

— Oui, ma douce, voici ton logis, celui de nos enfants à venir, viens le visiter avec moi.

Colin la poussa en avant. Ils pénétrèrent dans le jardin.

— Des primevères, mes fleurs préférées ! Comme c'est gentil, s'exclama la jeune femme en saisissant son mari par le bras.

— Ce n'est pas moi, mais Jean qui... enfin, sur mon idée...

Elle fit semblant de ne pas entendre et poussa la porte de la maison. Bientôt des cris de joie fusèrent, des exclamations joyeuses qui rassurèrent Colin. Anne semblait apprécier la maison. De fait, elle virevolta d'une pièce à l'autre, les examina dans les moindres recoins, décidant ici d'un détail, là d'un futur aménagement. Colin fermait les yeux. Cette excitation, les pas légers qui dansent dans la maison en rêvant tout haut la vie à venir, il avait l'impression de vivre une scène déjà connue, mais il n'en souffrait plus. Merveilleuse Anne : grâce à elle, il oublierait Colombe, ils seraient très heureux.

— Colin !

Elle l'appelait depuis la chambre, les yeux dirigés vers la fenêtre.

— Regarde ce jardin, comme il est triste sous sa mauvaise herbe. Avec vos travaux, vous n'avez rien arrangé.

Elle réfléchit quelques instants, son visage s'illumina.

— L'intérieur peut attendre, je vais planter des fleurs et des légumes tout de suite ! Avec un peu de chance, il est temps, tu ne crois pas ?

— Je n'y connais rien, avoua Colin.

— J'oubliais, tu es un cœur de pierre, reprit-elle en lui caressant la main, taquine. A qui pourrais-je demander de m'aider... Jean ? Il n'aura pas trop de travail dans sa propre maison pour venir s'occuper de la nôtre ?

Son hésitation n'avait pas échappé à son mari.

— Je t'en supplie, plus d'arrière-pensées ! s'écria-t-il. Tu es chez toi, ici. Jean viendra volontiers te donner des conseils, tu sais combien il connaît les choses du jardin, il aurait même voulu préparer celui-ci avant ton arrivée, mais je lui ai dit que tu préférerais certainement t'en occuper avec lui. Tu vois que j'y avais déjà pensé. Rassure-toi, tu es dans ta maison. Libre à toi de l'arranger et de la meubler à ta guise. Car en dehors de cette table et des bancs de la cuisine, je n'ai rien gardé du passé.

Anne marqua un temps d'arrêt. Elle savait Colin sentimental, attaché aux objets et aux souvenirs.

— Qu'as-tu fait des meubles que tu aimais ?

— Je les ai donnés à Jean. Il n'a pas les mêmes raisons que toi de s'en plaindre.

A ce qu'elle interpréta comme un reproche déguisé, la jeune femme sentit de nouveau les larmes lui monter aux yeux.

— Cette maison est belle, je ne sais comment t'en remercier, l'émotion, sans doute. Je te promets que je ferai tout mon possible pour que nous y soyons heureux... et que Jean se sente comme chez lui, ajouta-t-elle, non sans regret.

— Tu le lui diras toi-même, conclut Colin d'un air satisfait. Je dois te quitter, on m'attend au chantier. Je te laisse ranger les affaires et garnir la resserre de provisions. Tu n'as plus que le feu à allumer, j'ai tout préparé, sauf les braises. Tu iras en demander aux voisins, c'est l'occasion de faire connaissance.

Il l'embrassa distraitement et s'éloigna, l'esprit ailleurs. Anne resta immobile près de l'entrée, joyeuse et amère tout à la fois. Elle songea à l'ampleur de la tâche qui l'attendait et se sentit écrasée. La maison était vide, sans un meuble, à l'exception d'un lit et d'une table. Il faudrait en faire fabriquer de nouveaux. Par son métier, Colin connaissait certainement des artisans compétents. Aurait-elle le talent de Colombe, son esprit pratique, sa fermeté, pour en exiger d'aussi beaux ? Elle se prit à douter de ses talents de maîtresse de maison.

A Richelieu, c'était provisoire, presque un jeu. Maintenant, je dois faire mes preuves, pensa-t-elle.

Par bonheur, la carriole apportant ses hardes s'arrêta devant le jardin, chassant ses sombres pensées. Tandis qu'elle indiquait au voiturier le chemin de sa chambre pour qu'il lui installe son coffre, elle se morigénait. Colin avait eu le courage de se séparer de ses meubles pour lui laisser organiser l'intérieur à son idée, et elle fléchissait devant la tâche à accomplir ! Elle n'était pas digne de lui.

Elle baissa la tête. Le jour déclinait, la pièce lui sembla froide, hostile. Elle décida de suivre le conseil de Colin et de sortir emprunter des braises. Avec un peu de lumière, de la chaleur, elle se sentirait peut-être chez elle.

Elle refermait la porte de la maison, son sac à provisions sous le bras, quand elle remarqua les trois initiales entrelacées au-dessus de la porte.

CCJ

Elle les lut lentement, trop accablée pour s'en offenser. C'était écrit, Colombe régnerait toujours dans cette maison.

Anne était une toute jeune femme. Les quelques pas dans la rue, nez au vent, la soulagèrent. Elle se présenta aux commerçants, et fit ses emplettes d'un cœur presque joyeux. Elle allait préparer un bon souper pour Colin au retour de son travail. Il serait fier d'elle et lui ferait confiance pour les aménagements de la maison. Peut-être ferait-elle mieux que Colombe... Et si elle invitait Jean? Cette première soirée dans une maison qui portait tant de souvenirs se déroulerait plus facilement à trois. Sans réfléchir davantage, elle s'enquit de la maison de son beau-fils qu'on lui indiqua à la sortie du village, et partit déposer la commission auprès de sa logeuse.

Le soir, quand ils revinrent de leur travail, Jean et Colin aperçurent la fumée qui s'échappait de la cheminée, une lumière dans la cuisine. Colin eut un sanglot vite réprimé en se rappelant le temps où, derrière ces murs, Colombe et son enfant l'attendaient. A sa grande surprise, Jean refusa de le suivre chez lui.

— Anne préférera t'accueillir tout seul.

— Viens dîner plus tard, balbutia Colin.

Que lui arrivait-il? Son cœur battait, il se sentait intimidé, troublé de pénétrer dans son propre logis. Il respira lentement et souleva le heurtoir. La porte s'ouvrit tout de suite. Elle devait guetter son retour. Il lui jeta un regard furtif et, découvrant chez elle une émotion comparable à la sienne, il lui tendit le poing pour qu'elle y pose la main, en châtelaine. Elle s'esclaffa et l'atmosphère se détendit tout de suite. Colin la félicita de son travail.

Un feu pétillait dans l'âtre, de larges bouquets garnissaient les coins de la pièce. Une composition harmonieuse et mélancolique de chatons annonciateurs du printemps, de rameaux rougeoyants et de genêts d'hiver, qu'elle était allée cueillir dans la coudraie, à l'orée du bois. La soupe mijotait doucement au-dessus du feu. Une lampe posée sur le devant de la hotte éclairait la table garnie de trois écuelles.

— Tu as invité Jean ?

Colin se réjouit en silence. Il redoutait d'imposer le convive à son épouse. Celui-ci arriva quelques instants plus tard, la mine réjouie de qui réserve une bonne nouvelle. Ils s'assirent et, avant que Colin ait soulevé le couvercle de la marmite, il dit :

— Anne, je voudrais votre opinion.

Il lui souriait d'un air si franc, si amical, qu'elle ne put s'empêcher de lui répondre. Enfin quelqu'un qui s'intéressait à ce qu'elle pensait !

— Avez-vous remarqué la sculpture au-dessus de la porte ?

— Je ne crois pas, pourquoi ? balbutia Anne, saisie d'un trouble affreux.

Mon Dieu, elle allait se mettre à pleurer.

— C'était notre idée, à Colin et à moi. Je ne suis pas sûr qu'elle soit la meilleure. Que diriez-vous si nous ajoutions un A aux initiales ?

Anne se jeta aussitôt à son cou.

— Rien ne pourrait me faire plus plaisir !

Colin resta sans voix. Il n'aurait jamais pensé que ce qui restait pour lui un détail la bouleverserait à ce point.

— J'avoue que je n'y avais pas pensé moi-même, lâcha-t-il avec gêne. Ma foi, cela peut être une bonne idée.

Anne lui posa une main espiègle sur la bouche. Elle ne le laisserait pas gâcher son bonheur par quelque propos maladroit ! Jean saisit un charbon et se pencha sur le sol.

— On peut procéder de plusieurs façons, que dites-vous de cela ? interrogea-t-il, en désignant un A imense qui couvrait les autres lettres.

« Ce sera comme un toit couvrant le tout, vous serez la gardienne de cette maison, celle qui protège les souvenirs et les garde à distance.

Il lui lança un regard perçant, tandis qu'elle le contemplait, admirative, éperdue de reconnaissance. Jean avait rétabli la sérénité dans leur maison. Il ne tenait qu'à elle que ce bonheur dure toujours.

Le lendemain, dès l'aube, avant de partir à son travail, Jean se mit à l'œuvre. Il revint le soir même, le lendemain et le surlendemain. Anne se surprit à lui porter main-forte, lui tendre ses outils, l'encourager. Le troisième soir, le A protecteur couronnait les trois autres lettres, à l'entrée de la maison. Colin attacha son cheval, s'avança vers la porte, saisit sa femme et son fils chacun sous un bras. Ensemble, ils regardèrent la maison.

# III

En cette année 1638, les travaux du château de Richelieu se terminaient. Le bâtiment qu'on appelait déjà *La Merveille* attirait les visiteurs de marque. La ville commençait à s'animer, les fenêtres s'ouvraient, les conversations fusaient çà et là dans cette ville longtemps condamnée au silence.

Dommage, Colombe aurait aimé, songeait parfois Colin, un peu triste de voir s'achever le chantier sur lequel il œuvrait depuis des mois. Il s'y était gagné une réputation plus que florissante. A la différence de Jean, compagnon honnête mais sans génie, qui se faisait encore la main sur les frises et les moulures, il s'était vu confier les bustes des seigneurs dont les maisons donnaient sur la rue principale. Il devait cet honneur à une œuvre particulièrement réussie, une statue orante du duc de Montpensier, une perfection de pierre qui lui avait coûté autant de souffrance que de joie.

L'œuvre n'était pas passée inaperçue. Messire d'Aguesseau, un grand du royaume, personnage ambitieux qui avait acheté une maison à Richelieu, tout près du château, pour complaire au cardinal, ne tarda pas à faire mander son créateur. Appelé en plein travail, les cheveux trempés de sueur et le front couvert de poussière, Colin baissait les yeux, rouge de confusion.

— Viendriez-vous à Paris faire le buste de mon épouse ?

Il s'entendit acquiescer avec enthousiasme. Il avait oublié Anne, la famille qu'il projetait de construire. Son envie de découvrir Paris était si forte !

Il rentra plus tôt que prévu. Anne lui fit fête, si joyeuse qu'il ne put se résigner à gâcher cette belle humeur. Son fricot le régala — car elle cuisinait mieux que Colombe — mais il se gardait de le lui dire, ayant retenu de la rude existence des compagnons que trop de compliments nuisent au talent. Il laissa passer le dîner. Enfin, quand elle vint à côté de lui, la tête sur son épaule, il ne se retint plus et lui raconta tout.

— Tu as eu raison d'accepter.

Sa réaction, une lucidité calme, à peine ironique, le surprit.

— Tu feras un beau voyage, puis c'est dans ta nature, un pied en l'air comme ces échassiers au pas suspendu. Je comprends pourquoi tu séduis les femmes, être insaisissable !

Il baissa la tête, penaud et soulagé à la fois.

— Anne, ne m'accable pas, sinon je réponds à ce seigneur que je refuse la commande.

— Tu n'en feras rien.

— Je pars pour mon travail, au cas où tu en douterais.

— Je n'ai aucun doute.

Elle fixait le feu, la tête droite, le verbe précis. Était-ce du dépit, de la jalousie, la crainte de le savoir seul à Paris, loin d'elle, il ne s'expliquait pas sa froideur. Peut-être s'inquiétait-elle de sa sécurité dans cette maison nouvelle, qu'elle habitait à peine...

— Et si tu retournais dans ta famille, le temps de mon absence ? proposa-t-il d'une petite voix.

Elle éclata d'un rire moqueur.

— Bien sûr ! L'épouse chez ses parents, le jeune marié qui foule en bachelier le pavé de la capitale. Pas question, à moins que tu ne t'inquiètes de me laisser la garde de ta maison et de tes biens.

Colin lui prit les mains, effrayé de voir à quel point ils se comprenaient peu.

— Anne, ma femme ! Tout ce que tu vois est à toi, devant Dieu, cette maison est ta maison, c'est toi qui l'animes et la fais vivre. Sans toi, elle, moi...

Il baissa la voix, la saisit par les épaules.

— Crois-moi, je t'en supplie !

— Laisse-moi, tu me fais mal.

Anne se recula, honteuse de sa réaction. Colin regardait très loin, soucieux. Ses rides lui donnaient l'air d'un très vieil homme.

— Tu oublies que je pars seul dans une ville inconnue, ajouta-t-il, le visage sans expression.

— Jean vient avec toi ?

— Non, quelle idée ! J'aimerais que tu comprennes que c'est un honneur. Mais j'y pense, pourquoi ne viendrais-tu pas en juger toi-même ?

Anne resta interdite, figée par la surprise.

— Pour de vrai, tu m'emmènerais avec toi ? risqua-t-elle, timide, les yeux écarquillés, avant de se reprendre. Tu rêves, as-tu songé à la dépense, tu seras logé chez messire d'Aguesseau, mais moi ?

Colin observait sa femme avec irritation. Il lui faisait une faveur dont elle semblait mésestimer le prix. Elle osait s'interroger, faire les questions et les réponses, changer d'idée sous ses yeux ? Il découvrait une femme qu'il ne connaissait pas, fantasque, imprévisible, très éloignée de la statue de volonté qu'il croyait avoir épousée.

— Si tu as réponse à tout, je n'ai plus qu'à me taire, grommela-t-il. Je me logerai où je voudrai et nous pourrons bien trouver une chambre pas trop chère pour deux. Nous emporterons des provisions pour le voyage et à Paris nous ferons attention à la dépense.

Il marqua une pause, triste à l'avance d'une perspective si raisonnable. Lui qui se promettait festins et soirées animées, il cohabiterait dans l'économie, cette bonne vieille duègne de la vie domestique.

— N'oublie pas que tu passeras tes journées seule entre quatre murs, reprit-il sans enthousiasme, tu pourras te promener, mais sans t'éloigner, on m'a dit que les rues n'étaient guère sûres pour les femmes.

Comme Anne restait muette, il conclut, avec un sourire forcé :

— Mais si tu le souhaites vraiment, nous pourrons partir ensemble. Je t'achète un cheval demain, et à nous deux Paris !

Anne hésita. Elle sentait que la proposition de Colin manquait de spontanéité. Tout était de sa faute. Elle avait parlé vite, sans réfléchir, en n'écoutant que son envie, sans tenir compte des contraintes de son mari, de sa joie toute légitime d'avoir été choisi parmi des centaines d'autres. Il avait raison, elle l'encombrerait, nuirait peut-être à sa carrière. Elle allait lui montrer qu'elle ne parlait pas sérieusement.

— Quelle belle perspective, toi et moi sur les routes en grand équipage ! Pourquoi pas un domestique pour nous accompagner ? Pars, mon époux, sois serein, je veillerai sur ta maison, ton jardin et tous tes biens !

Elle se leva d'une pirouette et tournoya sur elle-même, l'œil brillant de larmes. Colin la dévisagea, ahuri. Cette jeune femme versatile et moqueuse était-elle toujours la jeune fille franche et droite qu'il avait épousée ?

Il partit sans lui adresser la parole, le lendemain matin. Qui sait, peut-être aurait-elle encore changé d'avis ? Il se mettrait en retard et manquerait le « nouveau », un compagnon qui venait de Paris avec son lot d'anecdotes à raconter.

Colin n'eut pas de peine à le trouver. Le dos tourné, il pérorait devant une dizaine d'artisans, ravis de se distraire de leur labeur par le récit de quelques futilités. Colin s'approcha et tendit l'oreille. Il était question de grandes fêtes qui avaient illuminé la ville des jours durant, et pour cause, la Reine venait d'enfanter un héritier mâle ! Conçu à la faveur d'un orage, gloussait l'orateur, grâce à un retour impromptu du roi Louis XIII qui avait renoncé à un voyage pour cause de mauvais temps et demandé asile à la Reine, sans prévenir. Souper et coucher improvisés avaient aidé au rapprochement jusqu'ici infructueux d'époux qui vivaient très loin l'un de l'autre dans une Cour où les moindres allées et venues faisaient l'objet de commentaires ; le plus petit déplacement était claironné aux quatre coins du château, quand ce n'était pas de la ville ou du pays. Le bon peuple faisait bombance, les seigneurs se gaussaient de cet appétit si tardif, mais chacun se réjouissait, à l'image du Royaume que le Roi avait fait avertir.

Dès la reprise du travail, Colin prit à parti l'orateur afin de préparer son voyage.

— Dommage que tu ne sois pas venu plus tôt, on a tiré des feux d'artifice magnifiques au-dessus du Louvre. Enfin, les merveilles ne manquent pas, là-bas, ajouta-t-il avec un clin d'œil.

— Justement, balbutia Colin, j'ai peur de m'y perdre. On m'a raconté que les Parisiens avaient la moquerie facile, ne vont-ils pas se gausser de moi ?

L'autre éclata de rire.

— Sois sans crainte, tu trouveras toujours quelqu'un pour te renseigner, ils sont si fiers de leur ville !

Rassuré, Colin ne songea plus qu'à son départ. Choisir le bloc de marbre le plus approprié à une jeune femme qu'on disait fort belle, le faire porter jusqu'à l'hôtel d'Aguesseau, passer les consignes aux autres compagnons afin qu'ils terminent le travail. Il s'agita dans tous les sens et n'eut guère le temps de penser à son épouse. Pris de remords, la veille, il lui acheta un cheval et lui proposa de l'accompagner quelques lieues.

Pauvre petite, cela lui adoucira la séparation, songea-t-il, avec légèreté.

Il hocha la tête et descendit avant elle, le matin suivant, préparer les chevaux. Anne avait revêtu une tenue d'écuyère qu'il ne lui connaissait pas, un drap de velours vert sombre qui mettait sa carnation en valeur. Les cheveux noués en une natte sur le côté, le minois modeste, elle était ravissante.

Bah, il sera toujours temps dans deux mois, se rassura-t-il, avant d'éperonner son cheval.

L'aube pointait tout juste, un matin d'automne glorieux qui dorait les bois et les fougères aux teintes ardentes, qui lissait de rayons doux et finissants l'herbe, les champs, les collines qui ondulaient au loin. Colin inspira profondément, nostalgique soudain. Était-ce un hasard si les départs importants de sa vie s'étaient toujours déroulés en cette saison ? Il songea à Colombe, à cet enfant qu'il avait à peine connu, s'assombrit. A côté de lui, écuyère gracieuse et sûre, Anne respectait son silence. Il ne put s'empêcher de lui jeter un regard admiratif, vite confirmé par l'émoi qu'ils suscitèrent quand ils arrivèrent à Chinon.

— Qu'elle est belle !

Les exclamations fusèrent, tandis qu'ils traversaient la

ville, provoquant un attroupement de badauds naïvement enthousiastes.

— Et moi, pour qui me prennent-ils? se renfrogna Colin. Pour son père, son oncle? Elle est si fraîche, si jeune...

L'espace d'un instant, la panique le prit de laisser sa toute jeune femme à la merci de ces regards avides, de ces désirs qui ne se cachaient pas, même en sa présence. L'heure de la séparation, bientôt proche, vint à propos le distraire de ces pensées moroses. Colin avait prévu de coucher le soir même à Orléans, il n'avait plus une heure à perdre. Tant pis.

— Prenons le temps de nous restaurer avant...

Il ne trouva rien d'autre à proposer pour rester quelques instants de plus avec elle. Il s'appliqua à mastiquer bien tranquillement, à la rassurer. Il ferait attention à lui, il mangerait bien, qu'elle ne s'inquiète pas. Elle ne toucha pas à son écuelle. Ses doigts jouaient avec une boule de mie de pain.

— On dirait que tu t'impatientes, lança Colin, agacé.

Et sans attendre sa réponse, sans regarder le petit visage crispé de chagrin, il sortit de l'auberge le premier.

Anne brusqua les adieux. Elle le laissa l'installer sur sa monture et, sans se retourner, leva la main, éperonna son cheval. Colin resta sur place, attendant qu'elle se ravise et tourne bride. Peine perdue. Alors il enfourcha son cheval à son tour, se lança à sa poursuite.

— Anne!

Les femmes étaient-elles toutes aussi imprévisibles? Un doute le traversa. Avait-il fait le bon choix? On en connaissait tant de ces épouses, dociles à l'âge juvénile, marâtres ensuite...

Il ne put lui exprimer ses doutes, car son cheval filait à l'horizon, point vert qui disparut à un détour de bois.

Il ralentit le galop, furieux de constater qu'elle montait mieux que lui, s'arrêta pour souffler.

— Drôle de femme, lâcha-t-il, essoufflé et furieux en même temps, les pouces enfoncés dans la crinière de son cheval, les doigts tremblants.

Anne n'avait pas vraiment quitté Colin. Lorsqu'elle regagna son domicile, encore haletante de sa course, elle découvrit, accroché à sa porte, un bouquet de fleurs accompagné d'un petit mot.

Colin pressait le pas. Plus vite il serait arrivé à Paris, plus vite il reviendrait auprès d'Anne. Il venait à peine de la quitter qu'elle lui manquait. Il aurait voulu partager avec elle les surprises du voyage, les retrouvailles si chères. Il avait revu Orléans avec émotion. Il n'y était pas retourné depuis l'époque où il avait été fait compagnon, mais rien ne lui semblait avoir changé. Ses pas le portèrent tout naturellement vers la cayenne où il avait passé de si belles soirées et, à sa grande surprise, on le reconnut.

D'un naturel taciturne et indépendant, Colin avait autrefois souffert de la transparence imposée aux compagnons. Année après année, d'une ville à l'autre, le moindre de vos déplacements se voyait figurer dans les registres des corps de métier. Un compagnon ne devait rien cacher. Parvenu à la maturité, il s'enorgueillissait de cette mémoire collective qui posait son destin en exemple aux plus jeunes : brillant ouvrier, travailleur de renom appelé sur le si prestigieux chantier de Richelieu, et maintenant artiste engagé à moult frais par Messire d'Aguesseau. Il y avait lieu d'être fier ! Il parada d'une table à l'autre, répondit volontiers aux questions, pontifia complaisamment, mais il lui manquait une auditrice, sa femme. Dans leur vie quotidienne, sobre et sans exubérance sociale, les deux époux n'avaient pas l'occasion de se mettre l'un et l'autre en valeur. Ils dînaient rapidement et s'asseyaient au coin du feu, se tenaient la main sans parler. Colin se reposait, Anne... Que pouvait-elle faire, se détendre aussi, sans doute ?

Il s'interrompit, pris d'un remords. Les jours s'écoulaient, doux et paisibles, à Champigny, il n'avait jamais l'occasion de réfléchir à sa vie, à sa femme. Était-elle seulement heureuse ? Il avisa un colporteur qui avait pris place à sa table et se rendait dans la direction de Champigny et, moyennant quelques sous, le chargea de transmettre de ses nouvelles. Sitôt parvenu à Paris, il achèterait des chutes de parchemin à quelque écrivain public et lui raconterait tout depuis le commencement. Avec un peu de chance, il recevrait une lettre avant dix jours. Anne brûlerait d'utiliser le taille-plume doré à manche de corne qu'il lui avait offert avant de partir. Rasséréné par cette perspective charmante, il ne tarda pas à monter se coucher.

Colin bâilla, ralentit l'allure. Il s'était levé plus tard qu'il n'avait voulu, il affrontait l'affluence des abords de Paris, la longue file des chariots et des cavaliers qui encombraient la chaussée, ces regards qui se croisaient, les élégantes brelines suspendues sur quatre roues qui laissaient entrevoir un joli minois, vite rabroué par une douairière vigilante. Colin se laissa prendre à un profil gracieux, nez mutin sur moue boudeuse, et se vit ainsi rappelé à l'ordre par un geste impératif. Il haussa les épaules, déçu, tandis que la mignonne se rencognait derrière les rideaux, et il baissa les yeux sur les badauds, une foule harnachée et boitillante, masse épuisée qui grognait quand on lui intimait de s'écarter.

Des rustiques.

Fils et petit-fils de paysan, Colin n'avait pourtant pas grand respect pour ces hommes des campagnes qui ployaient sous le poids des marchandises, ces envieux qui convoitaient, le regard brillant, leurs semblables plus fortunés qui s'acheminaient sur des chariots. Des cavaliers le bousculèrent, en uniforme, des militaires qui se frayaient un passage par force, bientôt imités par d'autres, indifférents à la foule besogneuse qui s'écartait avec des cris. Clameurs, glapissements, injures, chacun se heurtait, s'opposait, s'affrontait avec une agressivité qui choqua Colin. Il tenta de se glisser dans ce flot et se sentit soulagé quand apparurent les murailles de la capitale, ses innombrables clochers qui surgissaient çà et là. Il se surprit à jouer des coudes à son tour pour se faufiler plus vite. Heureusement qu'Anne n'était pas avec lui ! Elle aurait eu peur, se serait inquiétée des bandits et autres brigands éventuels, aurait souffert du coucher sommaire dont Colin s'était contenté pour raison d'économie. Une paillasse dans un corridor battu par les vents, à côté du cheval bien bouchonné à l'écurie. Décidément, il se félicitait de l'avoir laissée à Champigny.

Tout à ses pensées, il se trouva bientôt devant la porte Saint-Jacques, au sud de la capitale. La lettre de Messire d'Aguesseau fit beaucoup d'effet auprès des gardes. Ainsi, Colin avait travaillé à Richelieu, pour le compte du Cardinal ! Ils s'empressèrent de lui indiquer son chemin, tout en ne se privant pas de critiquer les dépenses inconsidérées de ces seigneurs qui faisaient sculpter le buste de leur épouse.

Colin s'élança dans le labyrinthe de la capitale. Il redoutait cet instant, on lui avait tant décrit le fourmillement des rues, les maisons qui s'entassaient les unes contre les autres, les innombrables collèges qui dispensaient le savoir ! Jamais, pourtant, il n'aurait imaginé le spectacle qu'offraient les rues.

Des ruelles étroites, alignement de façades décrépies, des boyaux d'odeurs et de mouvements où s'agitait dans tous les sens une foule pressée, harnachée de seaux, de balais, d'outils et de pièces de bois, précédée de charrettes sur lesquelles s'entassaient viandes, légumes, poissons. Colin fut frappé par l'élégance des hauts-de-chausses, guêtres et justaucorps de couleur marron que les gens arboraient fièrement, sans un regard pour les autres.

— Quelle indifférence, on dirait qu'ils ne se connaissent pas.

Il avait parlé à haute voix, emporté malgré lui par le flot des passants, ce mouvement brutal et sans répit qui vidait la rue dans les deux sens. Au passage, il aperçut des façades de bâtiments célèbres, le collège des Cholets, celui de Clermont, admira des maisons à colombages, devina les splendeurs qui se blottissaient derrière les croisées fermées des demeures coiffées de toits d'ardoise. Il évita de justesse une longue poutre de bois soulevée à hauteur de son visage par deux porteurs, écarta un jeune hâbleur qui se proposait de monter lui-même à ses belles clientes l'eau des seaux qui pendaient à ses épaules, et, pris d'un vertige, décida de descendre de sa monture.

Hélas ! Ramené à la hauteur des passants, il se trouva bientôt bousculé, désemparé, les yeux désespérément levés vers le ciel en quête de quelque indication qui guiderait ses pas. Il tituba, entrevit une trouée, des maisons serrées sur un pont, un cabaret surmonté d'une enseigne de pomme de pin, non loin de la cathédrale. Il attacha à la hâte son cheval à un anneau, s'y précipita.

Il s'affala sur une chaise, indifférent à la salle, à l'aubergiste qui l'interpellait.

— Laisse-le souffler ! lança une voix rieuse à côté de lui.

Colin se tourna, surpris par la veste déchirée et les chausses boueuses de son voisin.

— Pardonnez-moi, mais j'arrive de Richelieu. Le bruit, la ville, les gens, je ne sais plus où j'en suis. Je sculpte la pierre, vous savez...

Les visages se détendirent. Les étudiants et les artistes comptaient au nombre des fiertés de la ville.

— Je suis attendu chez Messire d'Aguesseau.

— Tout près d'ici, rétorqua l'autre. C'est la première fois que vous venez à Paris ?

— Oui, et je commence à le regretter...

— Allons ! Une si grande ville, peuplée d'artistes, d'étudiants qui se gorgent de savoir depuis quatre cents ans...

— Tu peux parler, s'esclaffa l'aubergiste, tu as vu ta tenue ! Voilà ce qu'on gagne à provoquer ces messieurs du Guet royal !

— Ils n'ont pas le droit de me toucher, rétorqua l'autre, vexé. En tant qu'étudiant, je ne relève que de l'autorité du recteur de l'université de Paris.

L'aubergiste soupira.

— Si tu n'avais pas cassé tous ces volets pour boire ! Quelle idée aussi de se promener avec un marteau... Au fait, qu'est-ce qu'ils t'ont fait à l'Hôtel-Dieu pendant les deux jours où tu y es resté ?

— Pas grand-chose. On m'a laissé sur un matelas, dans un coin, car on a cru que j'avais bu. Heureusement qu'il y a eu cette noyade dans la Seine pour faire apparaître la Prieure !

— Une noyade ?

— Les sœurs rinçaient le linge sur les berges de la rivière. L'une d'entre elles est tombée à l'eau et comme il n'y avait pas de gaffeur ce jour-là, la malheureuse n'a dû son salut qu'au pont qui l'a arrêtée.

— Quelle histoire ! s'exclama Colin.

— D'autant que la Prieure, prise de remords et peut-être aussi pour honorer les grandes dames qui assistent les sœurs augustines à l'Hôtel-Dieu, s'est mise en tête d'inspecter les salles. Quand elle a vu que je n'étais pas dans un lit et que mes blessures n'avaient pas été nettoyées, elle a demandé qu'on fasse diligence. Tant mieux pour moi ! conclut l'étudiant avec un petit air fanfaron.

— Voilà ce qu'il en coûte de ne pas payer son passage... ajouta l'aubergiste, après un silence.

— Quel passage ? interrogea Colin, inquiet.

— Sur les ponts, pas tous heureusement, celui du Double, à côté de l'Hôtel-Dieu, les sommes sont reversées aux indigents, et celui de la Tournelle, sans doute parce qu'il est neuf, que sais-je ?

Il se tourna vers l'étudiant.

— Tu aurais dû emprunter le pont Saint-Michel, si tu voulais voir la Cité.

— Bah ! je ne savais pas très bien où aller, répondit l'autre en haussant les épaules. C'est plein de chantiers là-bas, tu devrais passer, on a sans doute besoin de sculpteurs...

— Pourquoi pas ! s'entendit répondre Colin.

Comment s'accommoderait-il de ce labyrinthe parisien, de cet embrouillamini de règlements auquel il n'entendait rien ? L'autre devina son trouble et sourit.

— Tu as peur, compagnon ? Méfie-toi davantage des malandrins. Avec ton costume et ton air naïf, tu pourrais avoir des ennuis.

Il lui donna une bourrade et disparut sans que Colin, furieux, ait trouvé la bonne réplique. Naïf, lui, un artiste de renom qui allait s'installer dans une des plus prestigieuses maisons de la capitale !

L'accueil qu'on lui réserva l'aida à oublier cet incident. Quelques instants après avoir quitté l'auberge, Colin s'arrêtait devant deux murs de briques, couronnés de frises en encorbellement et séparés par un portail monumental, flanqué de piliers, couronné de pots à feu. Un arc qui surmontait l'ensemble exhibait dans un cartouche les armes des propriétaires, d'azur à deux fasces d'or accompagnées de six coquilles d'argent. Le vantail s'ouvrit, et Colin s'avança, timide et trébuchant sur les pavés de la cour d'honneur. Il parvint au perron, gardé par deux sphinges, où l'attendait un domestique en livrée et se sentit mieux. Il avait revêtu son plus bel habit, celui de ses noces, ses chaussures de cuir sonnaient fièrement contre le sol, il était digne de l'antichambre luxueuse, aux murs tendus de tapisserie, dans laquelle on l'avait fait entrer.

— Maître Colin, je suis heureux de vous voir !

Antoine d'Aguesseau l'avait pris par le bras et l'entraînait dans une vaste pièce richement meublée, dont les consoles, fauteuils et sofas disposés sur des tapis de toutes les couleurs laissaient entrevoir, par endroits, un parquet aux dessins savants. Colin ne put s'empêcher d'admirer les murs recouverts de tableaux, les dessus de porte aux sculptures de plâtre.

— Asseyez-vous, je vous prie.

Son hôte lui présentait un fauteuil, devant la cheminée. Malgré lui, il s'assit sur le bord. Les yeux fixés sur le parquet, il se morigénait intérieurement. On l'avait prié de venir, il ne sollicitait rien, d'où venait cette timidité ?

— Maître Colin !

— Pardon ?

— Ce n'est rien, vous sembliez préoccupé, je vous demandais seulement où vous étiez logé. Voulez-vous rester chez moi ?

— Je vous remercie, j'ai déjà pris une chambre à l'auberge. Quand puis-je commencer ?

— Vous venez d'arriver ! Êtes-vous si pressé de finir ?

— Ne vous méprenez pas, Monsieur, je ne voulais pas abuser de votre temps précieux, mais puisque vous avez la bonté de vous intéresser à moi, je vous dirai que je m'inquiète de l'endroit où je vais travailler.

— Vous craignez de manquer de place ? s'exclama l'autre en riant.

— La sculpture est un art bruyant, qui exige espace et liberté, poursuivit Colin sans relever l'interruption. L'idéal serait de travailler dehors comme en avaient coutume les artistes de Florence, dans les jardins de Laurent le Magnifique. Je me vois mal le demander à Mme d'Aguesseau...

— Si nous trouvions un salon moins meublé que celui-ci, situé du côté de nos appartements ? interrogea son interlocuteur, impressionné. J'y ferai tendre une toile sur les tapis, si cela vous convient.

— Allons le voir, proposa Colin, en s'admirant lui-même de son audace.

La rencontre avec Mme d'Aguesseau ne démentit pas ses attentes. La jeune femme était ravissante, un fin visage encadré de boucles blondes qui retombaient d'un seul côté, au gré d'une disposition savante. Ses lèvres minces et délicates souriaient constamment, son port de tête gracile, ses gestes vifs, le cou mince et entouré de perles lui donnaient l'air d'un oiseau. Impressionné lors de leur première rencontre, Colin se reprit très vite. Chaque matin, il traversait la cour d'honneur et s'installait dans le salon. La jeune femme entrait, en retard, une bouffée de jeunesse charmante qu'il accueillait d'un sourire poli. Ses seuls moments de détente, il les passait dans le jardin, un havre de tranquillité, des allées de buis taillé, bordées des dernières fleurs de l'automne, Car, bavarde et d'une curiosité insatiable, la jeune Mme d'Aguesseau avait pris l'habitude de convier ses amies aux séances de pose. Colin n'avait pas osé s'y opposer, de sorte qu'il se faisait de plus en plus l'effet d'être un maître à friser venu distraire la galerie.

Heureusement, il y avait les lettres qu'il adressait à sa femme, celles qu'il recevait de Champigny. Trop laconiques, à son goût. Colombe l'avait habitué à des missives plus tendres, des billets enflammés qui le faisaient rougir.

S'ennuyait-elle à ce point ? Pris par le remords, il se jurait de rentrer au plus vite pour lui raconter les mille et une anecdotes de son séjour dans la capitale. Une jolie femme comme elle ne méritait pas de rester seule.

# IV

La vie à Champigny se déroulait comme à l'accoutumée, sans émotion particulière. Anne s'ennuyait paisiblement entre les tâches domestiques qu'elle accomplissait avec une régularité sans faille. Pour se distraire, elle invitait souvent Jean à dîner. Il acceptait volontiers, d'autant que la maison d'Anne le rapprochait d'une jeune fille du village pour qui il éprouvait quelque attirance. Mais il n'en parlait pas à sa belle-mère, devisait de choses et d'autres entre les plats, et la quittait, ravi d'avoir dîné en si bonne compagnie et, surtout, d'avoir salué l'élue de son cœur en passant. Anne le regardait s'éloigner, la porte entrouverte, un peu triste. Le plus gros de la soirée était passé. Restait la nuit, ces heures interminables où le spectre de la solitude la hantait de son discours perfide.

Vingt ans à peine pour ce destin lugubre, ces matinées perdues à coudre près de la fenêtre, les courses toujours semblables, les promenades identiques, le beau-fils à dîner tous les soirs. Qu'as-tu fait de ta fantaisie, de ce rire qui éclatait sans vergogne, de cette tendresse que tu mettais dans ton sourire, dans tes gestes quand tu arrangeais un bouquet de fleurs, dans ton sourire quand tu préparais quelque recette nouvelle ? Tu maigris, tu te dessèches, je ne t'entends plus fredonner en rangeant ta maison, tu prépares les aliments sans amour, brusque, tendue, pressée. De quoi, dis-moi ? De découvrir que tu vis seule, sans personne à aimer, sans mari à choyer ni enfant à caresser ? Que tu as préféré la tranquillité à l'aventure des sens, que tu as choisi le quotidien contre l'extraordinaire, l'aventure... En somme, que tu te comportes en bonne épouse, mais en femme malheureuse ?

Anne secouait la tête. Parvenue à ce degré de lucidité, elle s'agitait, toujours plus fébrile, afin de dissiper ces propos torturants qui la distrayaient de ses bonnes résolutions. Attendre son mari, s'occuper de la maison pendant son absence, une femme pouvait-elle aspirer à autre chose ? De fait, les exemples qu'elle voyait autour d'elle n'ouvraient pas de perspectives plus larges. Des ménagères, des mères de famille affairées qui faisaient leurs emplettes d'un pas rapide et rentraient chez elles vaquer à leurs occupations — à croire qu'il y en avait beaucoup !

Il n'y avait que son voisin, Chignard, un individu revêche, connu pour son mauvais caractère et sa langue vipérine, qui montrait une envie de lier connaissance. Un jour qu'elle partait au lavoir, son sac de linge sous le bras, il se planta devant elle.

— Vous voilà bien chargée, voisine, voulez-vous que je vous aide ?

— Merci, j'ai l'habitude.

— Ce que c'est de vivre seule, ajouta-t-il en regardant le sol, je n'ai pas vu beaucoup de feu chez vous ces derniers temps, je peux vous porter des bûches...

— Non, vous êtes gentil, Jean s'en chargera, bafouilla la jeune femme en hâtant le pas.

Chignard resta désarçonné puis, d'un bond, la rattrapa et lui jeta tout à trac :

— Justement, voisine, on devrait le voir davantage chez vous.

— Pourquoi ? lança la jeune femme, piquée.

— Les commères jaseraient moins. Une belle jeune femme comme vous qui passe ses journées toute seule dans sa maison, on imagine des choses...

Anne s'arrêta et le toisa.

— J'aurai besoin d'un garde pour protéger ma vertu ?

— Ne vous fâchez pas, se défendit le bonhomme, vous savez comment sont les gens. Il n'empêche...

— Quoi ?

— Qu'on a vu un homme sortir de chez vous dans la nuit.

— Jean !

— C'est ce que j'ai répondu, vous pensez bien, et je le répéterai à votre mari s'il me le demande.

Anne haussa les épaules.

— Cela m'étonnerait, il n'écoute pas les commérages. Il sait que Jean vient souper presque tous les soirs.

— Justement, la coupa Chignard, l'œil allumé d'une lueur matoise, il ne vient pas tous les soirs...

— Suffit, lança la jeune femme, occupez-vous de vos affaires.

Sur ces mots, Anne, d'ordinaire si douce, si réservée, tourna les talons et planta le bavard au milieu de la rue.

Cette sortie ne manqua pas de lui rendre la vie difficile. Elle qui n'avait pas d'amis vit décroître le nombre des gens qui la saluaient auparavant comme la femme de maître Colin, les commères se retourner sur ses pas, les propos soupçonneux fleurir dans son dos. Pour échapper à ce climat de conspiration, elle se mit à sortir de moins en moins et s'enferma dans une mélancolie taciturne.

Jean se rendit compte de ce changement d'humeur, mais ne s'en inquiéta pas, trop occupé qu'il était à séduire la petite voisine.

Un soir qu'elle s'apprêtait à remplir un baquet pour son bain, sa détente favorite quand son beau-fils ne venait pas dîner, on toqua à la porte.

— Marguerite !

Sa voisine, une jeune femme au teint pâle et aux yeux noirs, qu'elle avait remarquée avec sa démarche dansante et ses allures insolentes, entra dans un tourbillon. Échevelée, les jambes et les bras nus malgré le mois de novembre, les seins à peine cachés par la gorgerette de sa guimpe, elle se jeta sur une chaise, éclata en sanglots. Anne resta stupéfaite. Depuis bientôt un mois que Colin était parti, elle avait perdu l'habitude des émotions, des épanchements de joie ou de tristesse. Elle serrait les dents, souriait à l'occasion, mais discrètement, sans bruit.

Elle hésita, posa la main sur l'épaule de Marguerite.

— Je ne peux plus le supporter, hoqueta sa voisine, regarde, il me bat ! Tout ça parce que je n'étais pas à la maison quand il est rentré des champs. Et pour cause, la voisine m'apprenait à cuire un gâteau au fromage, une surprise que je comptais lui préparer le soir même !

— Pourquoi n'as-tu rien dit ?

— Je n'ai pas eu le temps ! Il s'est précipité sur moi en hurlant que je lui mentais, que je le trompais, qu'il était rentré des champs plus tôt pour me surprendre et qu'il venait d'avoir la preuve, et puis je ne sais plus quoi, je me suis sauvée !

— Et lui ?

— Il doit être à l'auberge, comme chaque fois que nous nous disputons.

Elle prit la main d'Anne.

— Il vous estime beaucoup, toi et ton mari. Laisse-moi rester, je t'en supplie, j'ai trop peur de rentrer chez moi.

— Il ne sera pas fâché ?

— Je préfère cela plutôt qu'il me tue... plutôt, j'ai une

meilleure idée, viens avec moi, s'il nous voit ensemble, il n'osera rien faire.

Doucement, Anne dégagea sa main.

— Calme-toi, je suis sûre que tu exagères. Pourquoi ne prends-tu pas un bain ? Je l'avais préparé, tu n'as qu'à te tremper avant moi.

Marguerite hésita, puis se déshabilla.

— Sois gentille, plaida-t-elle en s'aspergeant les épaules avec une moue mutine, accompagne-moi à la maison.

Anne s'impatientait, agacée par ces mimiques.

— Tu ne comprends pas ! S'il te trouve chez toi, toute fraîche, devant un bon dîner, il te pardonnera toute suite.

L'autre frissonna, en mimant l'effroi.

— Je ne pourrai jamais... il est tellement jaloux ! ajouta-t-elle avec un gloussement.

— Il aurait des raisons de l'être ?

Marguerite sortit de l'eau, commença à s'essuyer.

— Réponds-moi, comment veux-tu que je te conseille si tu ne me dis pas la vérité ? insista la femme de Colin.

Elle ne savait rien de la vie de son amie, leurs relations s'étant limitées jusque-là aux échanges de bon voisinage. Elle achetait à Marguerite les légumes que cultivait son mari avant qu'il n'aille les vendre à Chinon. Colin et Jean avaient aidé le paysan à bâtir une resserre dans son jardin pour protéger ses fèves et ses tomates. De quel droit est-ce que je lui pose ces questions ? se demanda-t-elle soudain. Je ressemble à Chignard, toujours à se mêler de ce qui ne le regarde pas. N'empêche, cela m'agacerait qu'elle mente à son mari.

— Je ne veux pas être indiscrète, reprit-elle d'une voix plus douce, a-t-il raison d'avoir confiance en toi ?

Marguerite rougit.

— En principe, oui, mais quand un homme me fait un compliment, j'ai tendance à le croire.

— A le croire ou à le suivre ?

La visiteuse se rebiffa.

— Tu ne vas pas me faire la morale !

— Je dois savoir.

— Alors oui, soupira Marguerite en s'asseyant, j'en ai suivi un l'été dernier. D'habitude, je m'arrêtais aux œillades dans la rue, on me serrait d'un peu près pendant les fêtes, mais là, je me suis laissé convaincre, je suis allée chez lui.

— Quelle horreur ! s'exclama la femme de Colin, très consciente que ses mots dépassaient sa pensée.

Elle aurait dû éprouver de la colère, de l'indignation, tout sauf cette curiosité fascinée qui ne s'attachait qu'à une seule image — celle des amants enlacés.

Comme si elle avait lu ses pensées, Marguerite la toisa.

— Mon galant travaille avec ton mari, tu veux savoir son nom ?

— Tais-toi, soupira Anne, vaincue. Je t'accompagne chez toi.

Marguerite lui prit le bras d'un air malicieux.

— Anne Arquial, quelle bonne surprise !

Le mari jaloux grimaça un sourire, les poings crispés à la perspective de la scène qu'il pensait avoir avec sa femme.

— Marguerite m'expliquait la recette du gâteau au fromage qu'elle a appris à faire aujourd'hui, lança Anne, rouge de son mensonge.

— Pourquoi ne le mangeriez-vous pas avec nous ?

— Oh oui, reste ! insista Marguerite.

— D'accord, Jean ne vient pas souper ce soir.

Le repas fut calme. Marguerite jetait des coups d'œil sur son mari et multipliait les mots doux, le gâteau au fromage était cuit à point et son amie rageait de s'être laissé prendre à ses suppliques. Les époux la raccompagnèrent, d'excellente humeur. Elle les regarda s'éloigner depuis son seuil, bras dessus, bras dessous. Marguerite était vraiment très forte, songea-t-elle non sans envie.

Elle resta quelques instants à traîner dans sa cuisine, mélancolique. Elle accrochait sa marmite à la crémaillère de la cheminée en prévision du lendemain quand on frappa à la porte.

Une visite !

Elle se précipita joyeusement, ouvrit la porte en grand sans s'inquiéter de l'heure tardive. Une poussée brutale, un bras qui la cueille, l'inconnu s'était jeté sur elle. Anne voulut pousser un hurlement, se débattit, mais l'autre lui plaqua une main contre la bouche, la poussa contre la table.

Tout était fini ! Dans quelques minutes, elle aurait perdu son honneur, à jamais. Jean était absent jusqu'au lendemain, Chignard ne se déplacerait pas, à supposer qu'elle parvienne à crier. Il ne lui restait plus que la ruse. Elle se laissa tomber, les jambes molles, la nuque relâchée en arrière, comme si elle s'évanouissait. L'homme enleva sa main. Elle aperçut un cou puissant, une boucle d'oreille en or, des traits fort séduisants, sentit une bouche contre ses cheveux, une main contre sa taille, habile, experte.

— Non !

Elle se jeta sur la porte, l'homme à ses trousses, et dans son égarement, s'élança dans sa chambre.

— Ma foi, je n'aurais pas fait plus vite, s'esclaffa l'agresseur.

Il était vraiment très beau, grand, les yeux noisette, elle ne put s'empêcher de le remarquer.

— Arrêtez ou je crie !

— Bien sûr, ma belle, ton mari et son fils sont loin, les murs épais. Une très bonne idée qu'ils ont eue d'installer la chambre loin de la rue. Viens, tu ne le regretteras pas.

Il la saisit par la taille pendant qu'elle se débattait, lui griffait le visage, lançait les bras et les jambes dans tous les sens, avec la rage du désespoir. Il la gifla à toute volée, la projeta sur le lit, l'immobilisa d'une main, de l'autre lui retroussa le cotillon. Quand il se coucha sur elle, Anne hurla. Dure, glacée, elle n'avait jamais éprouvé cette meurtrissure. Horreur, douleur, elle s'évanouit.

Lorsque le violeur ne sentit plus de résistance, il devint soudainement très doux, lui embrassant les yeux pour la ranimer. Elle revint à elle, et c'est alors qu'il la prit avec d'infinies précautions. Anne tressaillit, tout son corps se mit à trembler, son cœur et son souffle s'envolèrent, pour la première fois depuis son mariage, elle s'abandonna au plaisir.

Ils reposaient côte à côte, essoufflés. Il sifflota et d'un bond se leva pour enfiler ses chausses. Elle se mit à pleurer.

— Arrête, ce n'était pas si pénible !

Anne se redressa.

— Je vous interdis de me toucher !

— Tu n'as pas toujours dit cela...

Elle regarda son sourire entendu, ses épaules puissantes sous sa chemise. Elle le haïssait.

— Vous êtes ignoble.

L'autre haussa les épaules.

— Pauvre pucelle, trop morale. Sois franche, as-tu déjà été aussi heureuse avec ton vieux Colin de mari ?

— Ne prononcez pas son nom !

Anne éclata en sanglots. Son agresseur, habillé de pied en cap, attendait auprès du lit.

— Que voulez-vous encore ? questionna-t-elle entre ses larmes.

— Souper, j'ai faim.

Anne sauta sur ses pieds et, comme possédée, tenta de le pousser vers la porte. L'homme lui prit les poignets en riant.

— Doucement, tes voisins m'ont vu entrer il y a près d'une heure. Tu ferais mieux de m'offrir le boire et le manger, puis de me raccompagner à la porte, comme on le fait pour un ami. Tu trouveras bien quelque explication à leur raconter.

Vaincue par cette impudence tranquille, Anne le suivit à la cuisine. Il l'obligea à mettre un couvert pour elle et à dîner en sa compagnie. Elle le fixait, stupéfaite, incapable d'avaler une seule bouchée. Il dévorait. Enfin, il s'étira, lança un bâillement, et se leva.

Arrivé devant la porte, il s'inclina. Elle resta sur le seuil, interdite, répondit à son signe de main quand il franchit le portillon. Elle referma la porte, s'avança vers l'âtre. Elle aurait voulu s'effondrer à la lueur des flammes, pleurer, pleurer encore. Aucune larme ne venait. Elle ne pensait qu'à Chignard, ce médisant. L'avait-il vue, que faudrait-il lui raconter pour qu'il se taise ? Elle secoua la tête, honteuse. S'il était vrai qu'elle s'était défendue du mieux qu'elle avait pu, qu'elle s'était vraiment évanouie, il n'en était pas moins exact qu'elle avait cédé aux baisers de son agresseur, qu'elle s'était abandonnée à son étreinte. Et qu'elle l'avait aimée.

Le désespoir, la honte, la rage la submergèrent. Elle, la jeune épouse, fraîche mariée et fidèle par vœu, elle avait éprouvé du plaisir avec un autre homme !

Elle se leva, en proie à une panique soudaine. Nettoyer, changer les linges sur le lit, ses jupons, détruire toute trace, tout souvenir.

Enfin elle se lava à l'eau froide, comme pour châtier ce corps qui ne lui appartenait plus. De la nuit, elle ne put trouver le sommeil.

# V

ANNE passa la matinée à s'activer dans sa maison. Frotter, récurer, de toutes ses forces, elle voulait oublier l'épisode de la veille, cette scène affreuse et délicieuse à la fois, qui l'obsédait. Elle décida de faire une lessive, une opération lourde qu'elle n'avait menée qu'à deux reprises, et encore avec l'aide de quelques voisines. Mais puisqu'elle voulait se perdre dans le travail, s'anéantir... Elle entassa le linge de Colin et jeta de l'eau bouillante sur les cendres du cuvier, vérifia que le mélange traversait le linge, contrôla la salissure de l'eau qui s'écoulait au bas du baquet, recommença l'opération, une, deux, cinq fois, jusqu'à ce qu'elle soit claire. Quand elle releva la tête, le soir tombait.

Jean ne tarderait pas à passer. Oserait-elle dîner face à lui, le fils de l'homme qu'elle avait trahi ? La peur l'étranglait, ses mains se mouillaient de sueur. Et Chignard ? Elle s'attendait à le voir apparaître dans son dos, à croiser son air matois, ses yeux cruels. Elle respira profondément, chargea le linge dans un panier et se rendit au lavoir pour le rincer. Elle marchait courbée, les membres moulus de fatigue. Elle revint et poussa la porte de sa maison. Jean l'attendait. Il lui jeta un regard inquiet.

— Que t'arrive-t-il, tu as l'air accablée ?

— Tu dis vrai, répondit-elle d'un ton détaché, j'ai fait la buée du mois.

Elle se précipita vers ses fourneaux pour fuir son regard.

— Parlons plutôt de toi, qu'as-tu fait aujourd'hui au chantier ?

— Pas grand-chose, j'ai retrouvé un camarade que j'avais croisé l'an dernier.

— Un compagnon ?

— Non, il est trop indépendant. Un drôle de type, il porte un anneau d'or à l'oreille.

Anne frémit.

— Pourquoi drôle ?

— Il va et vient, d'un chantier à l'autre, au gré de son travail... et de ses conquêtes. Sacré Thibaud !

— Tu as de drôles de fréquentations, l'interrompit Anne, affolée à l'idée que son agresseur pût se trouver en contact avec Jean.

— Il est amusant, se défendit Jean. Par exemple, il était tout griffé aujourd'hui. Il prétend que sa conquête de la veille lui a donné du fil à retordre. A l'entendre, cela en valait la peine.

Anne devint très pâle.

— Je suis désolé, bredouilla Jean, j'oubliais que toi, une femme mariée... Quand revient-il, au fait, Colin ?

— Avant Noël, d'après sa dernière lettre, répondit Anne, absente.

Une idée venait de lui éclater dans la tête, un doute insupportable. Et si ce Thibaud qui avait abusé d'elle était le même homme qu'avait connu Marguerite, l'été dernier ? Abusé, était-ce vraiment le mot qui convenait ? Elle baissa le front, éperdue de trouble et de mauvaise conscience.

Les jours qui suivirent ne l'apaisèrent pas, bien au contraire. Elle décida d'inviter Jean à dîner tous les soirs et se barricada chez elle.

— Que deviens-tu, on ne te voit plus ?

Marguerite avait surgi un beau matin de novembre, radieuse dans sa robe claire.

— Tu as vu ce temps ? Allons nous promener, je voudrais bien voir cette ville toute neuve que M. de Richelieu se fait construire. Digne d'un roi, à ce qu'il paraît !

Elle virevoltait devant son amie, charmante et rouée. Anne la soupçonna aussitôt. Marguerite se moquait du château, elle voulait seulement revoir son amant qui travaillait sur le chantier, cet individu sans scrupules qui était peut-être son agresseur.

— Impossible, j'ai du travail, marmonna-t-elle.

— Il fait beau et tu t'enfermes ! On dirait une vieille femme. N'as-tu pas peur de t'ennuyer ?

Marguerite avait trouvé le bon argument et Anne, qui se morfondait, se sentit fléchir. Pourquoi ne pas s'aérer ? Jean serait ravi de la voir et elle saurait si l'amant de Marguerite était bien l'homme à la boucle d'oreille.

— Soit, approuva-t-elle, plus joyeuse qu'elle n'aurait voulu. Je vais seller le cheval et préparer des provisions.

Une demi-heure plus tard, Anne et Marguerite galopaient sur la route de Richelieu. L'air froid leur piquait les joues et s'engouffrait sous leurs vêtements, mais Anne ne ralentissait pas sa course, enivrée, portée par la vitesse et par les cris de Marguerite, plaquée contre elle. Elles traversèrent Richelieu sans traîner, piquèrent sur le château. A l'entrée du chantier, elles aperçurent un tailleur de pierre, blanc de poussière.

— Sais-tu où travaille Jean Arquial ?

— Bien sûr ! Je lui prépare ses pierres, pour le portail. Un fameux artiste, si vous voulez mon avis, et encore, ce n'est rien à côté de son père...

— Comment puis-je le trouver ? le coupa Anne, gênée d'entendre évoquer Colin.

L'autre leur indiqua le chemin, non sans se répandre en compliments.

— Il a bien de la chance, l'ami Jean, de belles filles comme vous.

Anne gardait une mine sévère tandis que Marguerite, derrière elle, pouffait sous les sifflets et les remarques des hommes. Elle se sentait honteuse. Provoquer des hommes qui travaillent, pendant que mon mari est loin, je ne vaux pas plus que Marguerite, se répétait-elle, les joues rouges et les yeux collés au sol.

— Anne !

Jean se précipita vers elle, un sourire étonné sur les lèvres.

— C'est ce beau soleil qui vous invite à la promenade ?

— Voilà, répondit Marguerite qui avait noté sa réprobation devant ses jupes relevées, tu ne trouves pas que nous formons un bel équipage ?

— Oui, bien sûr, balbutia Jean, peu coutumier d'une telle audace, voulez-vous que je vous fasse visiter le chantier ?

— Ne te dérange pas, intervint Anne, nous nous débrouillerons très bien toutes les deux.

Marguerite éclata de rire et Anne se sentit toute joyeuse. Quel plaisir de se débarrasser de ce chaperon qu'elle s'imposait pourtant chaque soir ! Elles poursuivirent leur chemin, longèrent les murs d'enceinte avant d'arriver près de la grille qui ouvrait la cour d'honneur, devant le château. Les jeunes femmes s'extasièrent devant la perfection des toits aux arêtes pointues, des flèches d'ardoise dont le bleu se mêlait à celui du ciel. Elles poursuivirent dans l'anticour, passèrent devant les écuries et les manèges, les boulangeries et les ménageries, arrivèrent devant le logis principal, un bâtiment imposant, orné de frises et de colonnades. Anne guidait son cheval d'une main moite, tressautant à chaque compagnon aperçu. Que ferait-elle devant Thibaud ? Elle préférait ne pas y penser et avançait, comme mue par une volonté étrangère à la sienne. Elles terminèrent leur visite par un tour aux jardins, une symétrie à la française que fermait une rotonde de verdures, et revinrent vers Jean. Il était maintenant juché à quelques mètres de hauteur, sur une étroite passerelle de bois et ne les avait pas vues, tout à son ouvrage.

Anne soupira, soulagée et admirative. Thibaud ne s'était pas montré, elle allait proposer à Jean de déjeuner avec elle et Marguerite. Il l'avait bien mérité. Elle s'approchait pour le héler, quand Marguerite s'écria :

— Thibaud, bonjour !

Anne tourna la tête, aperçut son agresseur qui les observait, le dos appuyé au mur, un sourire aux lèvres. Pas de doute, c'était lui ! Elle maîtrisa son envie de fuir.

— Descends, si tu veux lui parler, lança-t-elle à Marguerite d'un ton sec.

Celle-ci se laissa glisser sans se faire prier, mais Thibaud les avait déjà rejointes et levait la tête vers elle.

— Quelle joie de vous voir ! Nous nous connaissons, je crois.

Jean avait arrêté son ouvrage et les observait depuis son perchoir. Anne tourna la tête, glaciale.

— A tout à l'heure, lança Marguerite qui, toute à la joie de revoir son amant, souriait de toutes ses fossettes.

— Comment rentreras-tu à Champigny ? insista son amie.

— Nous lui trouverons bien un cheval, ne vous inquiétez pas, répondit Thibaud sur un ton goguenard.

Anne serra les lèvres et, sans ajouter un mot, se dirigea vers Jean.

# VI

ANNE ne décoléra pas de tout le trajet. Elle avait beau se répéter que Thibaud ne l'intéressait pas, qu'il n'était bon qu'à séduire une Marguerite, elle se sentait humiliée, rejetée, presque inférieure. Qu'avait donc Marguerite de plus qu'elle ? Une tignasse de sauvageonne, un teint trop brun de paysanne, ce sourire, si gai, si large ? Elle passa le début de la soirée à se morfondre, à ruminer, jalouse et soupçonneuse. Enfin, n'y pouvant plus tenir, elle se précipita chez son amie.

Elle la trouva devant ses fourneaux, préparant le dîner, calme et détendue. Elle n'en voulait pas à son amie de l'avoir laissée avec Thibaud, au contraire.

— Il ne s'est rien passé, affirma-t-elle d'un air moqueur.

— Tu es sûre ? insista son amie, en se repentant de sa curiosité. J'ai tant de scrupules de t'avoir laissée avec lui...

— Pourquoi, il ne te plaît pas ?

— Je ne l'ai pas regardé, mentit Anne.

— Quel sérieux !

Marguerite s'esclaffa. Sans ironie, vérifia Anne, soulagée que Thibaud n'ait rien dit à son amie.

Anne regagna son logis, sans changement notable. Que Marguerite ait repris sa liaison avec son amant, en dépit des menaces de son mari, la gênait moins que le regret et le manque qu'avait éveillés la silhouette de Thibaud. Cette crispation au creux du ventre, ardente, mêlée d'angoisse. Son corps n'avait pas oublié.

Jean lui rendit visite le soir même. Elle s'employa à donner le change, lui posa des questions sur son travail, s'enquit de sa sécurité, si haut, sur son échafaudage.

— Sois tranquille, la rassura le jeune homme, j'ai l'habitude, et puis ce n'est pas si haut. La prochaine fois, je te montrerai, tu verras mon travail de près.

Anne acquiesça avec enthousiasme — elle aurait l'occasion de revoir Thibaud. Elle croisa le regard intrigué de Jean, rougit jusqu'aux oreilles.

— Venais-tu voir Colin sur le chantier, avant? questionna-t-il d'un ton méfiant.

— Non, j'étais trop timide, mais c'est une idée de Marguerite, se justifia la jeune femme. Bien mal m'en a pris, d'ailleurs, car elle en a profité pour revoir un galant.

— Thibaud, le compagnon dont je t'ai parlé! s'exclama Jean. Ne fais pas cette tête-là, tu n'y es pour rien, encore que...

Il toussa, gêné.

— Tu ne devrais pas la fréquenter, elle n'est pas sérieuse.

— Elle est surtout étourdie, protesta Anne avec une véhémence qui la surprit.

Pourquoi prenait-elle la défense d'une fille perdue comme Marguerite?

— On raconte qu'un homme rôdait autour de sa maison l'été dernier, poursuivait le jeune homme, l'œil sombre, il n'y a pas de fumée sans feu.

— Des commérages, éclata Anne, tu le croirais si on en disait autant pour moi?

Jean s'esclaffa.

— Bien sûr que non, les gens sont si médisants!

— Tu vois bien — Anne haussa les épaules avec

fatalisme — d'ailleurs tu viens bien me rendre visite, le soir...

— Il n'y a aucun rapport. Ne t'inquiète pas pour ta réputation, je serai le premier à la défendre.

Anne hocha la tête, autant pour saluer le dévouement de son beau-fils que pour calmer le fou rire qui montait en elle. Elle n'était qu'une rouée, une perverse, qu'y trouvait-elle de drôle ?

Pour se disculper, elle se mit à parler de Colin, des nouvelles qu'elle venait de recevoir. Il s'extasiait longuement sur la cathédrale, décrivait par le menu ses différentes visites. Il avait même dessiné les sculptures et les vitraux qui l'avaient charmé.

— Tel que je le connais, conclut-elle non sans envie, il ne manquera pas de s'initier un jour à l'art du verre. J'aimerais tant être à sa place.

Ils devisèrent encore quelques instants, puis Anne raccompagna son beau-fils à la porte, la conscience plus sereine. Elle poussa même les scrupules jusqu'à lui montrer les roses de Noël qu'elle avait plantées pour le retour de Colin.

Elle referma son vantail, saisie par une appréhension soudaine. Cette chaleur, une odeur un peu acide, tapie dans l'obscurité.

Thibaud !

Il sortit de l'ombre, le sourire ironique. Elle fixait l'étincelle qui tremblait au bout de sa boucle d'oreille, muette, écrasée par une émotion étrange. Enfin, elle se ressaisit.

— Partez ou je crie.

— Pas la peine, ma belle, je m'en irai tout seul, sans drame. Et sans rien me reprocher non plus.

Il lui posa la main sur la joue. Elle tressaillit.

— Ce serait monotone, puis je veux autre chose, que vous me demandiez de revenir, par exemple.

— Jamais, s'exclama Anne, vous avez ce qu'il faut.

Thibaud eut un petit rire.

— Marguerite ? Trop facile. J'attendrai que vous fassiez les premiers pas. Ce sera tellement bon.

Avant qu'elle ait pu répondre, il avait ouvert la porte et s'était évanoui dans l'ombre. Elle se coucha, moins soulagée qu'elle ne l'aurait espéré.

Elle se retourna dans son lit sans trouver le sommeil, erra toute la matinée dans sa maison. A bout de nerfs, elle décida de sortir. Le froid la calmerait.

Chignard devait la guetter depuis ses fenêtres.

— Vous êtes moins seule, on dirait.

Anne bredouilla qu'elle recevait souvent, en effet, son amie Marguerite à passer la nuit chez elle, car Jean, son beau-fils, se contentait de dîner puis repartait et un logis vide n'était pas toujours sûr pour une femme seule, d'autant que le mari de Marguerite travaillait trop loin pour rentrer tous les soirs. Chignard opina d'un air sournois, salua vaguement et disparut. Anne hésita et se précipita chez Marguerite pour la persuader d'endosser le mensonge.

— J'ai mieux, rétorqua celle-ci avec un sourire de côté, je vais vraiment dormir chez toi.

— Et ton mari ?

— Il sera ravi.

L'intéressé n'émit, de fait, aucune objection sur le principe. Afin de ne pas perdre l'intimité avec son épouse, il proposa néanmoins une alternance. Un jour sur deux, Marguerite rentrerait au logis. Jean ne s'opposa pas non plus à l'arrangement. Il le mit au compte de la générosité d'Anne qui devait chercher à remettre la jeune écervelée sur le droit chemin.

Les deux femmes se virent donc régulièrement, échangeant confidences et souhaits, surtout Marguerite qui entreprit de narrer par le menu son idylle de l'été passé avec le beau Thibaud. Anne se taisait, jalouse et captivée à la fois, agréablement surprise par le sentiment de supériorité que lui donnait son aventure avec l'amant de son amie. Celle-ci se plaignait de son indifférence récente.

— Il ne vient plus me voir, peut-être est-il parti.

Anne baissait les yeux, réjouie.

Un soir, son amie ne vint pas. Elle se précipita chez elle, aperçut de la lumière sous les persiennes, entendit des éclats de voix, les rires d'une femme qu'on lutine, une voix d'homme, plus grave que celle du mari de Marguerite. Celle de Thibaud ? Elle n'eut pas l'occasion de le lui demander, la pécheresse passa la voir le lendemain, ravissante et rieuse.

— J'ai un nouveau galant et mon mari me laisse seule pendant une semaine ! Tu ne m'en veux pas si je te rends visite pendant la journée ? Les nuits sont si courtes...

— Mais Thibaud, balbutia Anne, troublée par la désinvolture de son amie.

— Il est parti ! Tant mieux, il devenait trop sérieux pour mon goût.

Anne referma la porte, légère et très triste. Elle avait résisté à la tentation, certes, mais perdu le seul homme qui lui ait plu vraiment.

Le soir même, on heurta son vantail. Marguerite ! Elle s'était ravisée, elle venait dormir avec elle, comme d'habitude. Elle se précipita sur sa porte, ravie de la compagnie, l'ouvrit toute grande.

Thibaud entra.

Comment put-elle, le lendemain, se réveiller encore dans sa maison, changer les draps qu'elle avait souillés, border ce lit qu'elle avait déshonoré ? La honte était sur elle. Elle erra comme un chien perdu d'une pièce à l'autre, cherchant mille justifications, échafaudant mille plans pour disparaître, pour oublier ce désir qui, elle le savait, la tarauderait à nouveau. Car elle était perdue...

Elle oubliait Marguerite qui, à sa façon, veillait sur son salut.

Ce secours advint de la façon la plus triviale qui soit. Enhardie par l'absence de son mari, Marguerite conviait son amant à toute heure du jour. Une douce après-midi, le retour inopiné de l'époux l'obligea à renvoyer son galant par la fenêtre. Encore sous le coup de la surprise, elle perdit son sang-froid, ce qui réveilla les soupçons de son mari.

— On raconte partout au village que tu me trompes, attaqua-t-il, la mine bougonne.

— Laisse donc baver les mauvaises langues, rétorqua la jeune délurée, tout en bâtissant les ripostes à venir.

— Même quand tu allais chez ton amie, on prétend que des hommes vous suivaient.

Marguerite saisit la balle au bond.

— Eh bien, commença-t-elle en feignant une certaine gêne, je dois t'avouer que ces visites ne m'étaient pas destinées. La vérité, c'est qu'Anne Arquial a un amant, mais il faut que tu me promettes de garder le secret.

Le jardinier s'empressa d'en faire le serment, trop soulagé d'apprendre que sa femme était hors de tout soupçon.

Marguerite mit dès le lendemain son amie au courant de l'affaire, l'amadouant de caresses et d'excuses pour l'avoir ainsi utilisée.

— Comment as-tu osé ? s'indigna l'épouse de Colin. Tout le monde le saura, on va me mépriser !

— Un modèle de vertu comme toi, allons donc !

Et prise d'un enthousiasme nouveau pour sa vie conjugale, elle rentra préparer le souper. Anne rumina ses paroles. Même aux yeux de Marguerite, elle offrait cette image de fidélité et de rigueur ! Anne Arquial, si solide, si honnête, qu'on pouvait raconter n'importe quoi sur son compte... Elle soulevait une pince pour tisonner les braises qu'elle n'avait pas vu s'éteindre, quand une idée germa dans son esprit. Marguerite avait raconté à son mari qu'elle, Anne Arquial, avait un galant. Pourquoi ne retournerait-elle pas l'alibi contre Marguerite ? Si Colin, alerté par des rumeurs malveillantes, s'inquiétait, elle lui expliquerait qu'elle avait effectivement reçu des visites, mais qu'elles étaient destinées à sa voisine. La jeune délurée n'oserait pas se plaindre.

Deviendrais-je fourbe à mon tour ?

Elle laissa tomber le tisonnier, éblouie par une ingéniosité dont elle ne se serait jamais cru capable.

# VII

COLIN préparait son retour. Son buste se terminait, son épreuve en terre acceptée, il avait, en taille directe, attaqué le marbre. Il lui restait seulement à poncer à la pierre humide pour que les vernis rosés de la belle matière apparaissent dans toute leur brillance. Il en profitait pour se promener davantage dans les rues de la capitale. La ville embellissait de jour en jour. Les dons faits à l'Église par la reine Anne d'Autriche pour remercier Dieu de la naissance tant attendue d'un héritier avaient permis d'entreprendre une nouvelle chapelle, au Val-de-Grâce. Colin flânait souvent autour du chantier, après son travail, curieux, attentif, heureux de prendre part, à sa façon, à l'histoire qui se faisait. Il lui tardait de tout raconter à sa femme !

Une autre de ses promenades le conduisait aussi autour de la cathédrale qu'il chérissait, à l'image de celle de Bourges, sa contemporaine. Il errait souvent, le soir, autour de l'édifice, le long des rues étroites, la tête levée, les yeux rivés sur les assemblages hardis, les voûtes, les gorgones, les bas-reliefs, autant de symboles innombrables, les reflets presque inhumains de cette foi qui avait animé les générations de bâtisseurs. Il n'était encore jamais entré quand, par une belle après-midi de décembre, il franchit le porche.

Ce fut un éblouissement. Des flaques de lumière, roses, bleues, pourpres, caressaient les dalles, faisceaux chatoyants, entremêlés, juxtaposés, un bouquet de couleurs qui éclatait dans la nef, dansait entre les piliers, tourbillonnait contre les murs. Colin leva les yeux, timidement, les écarquilla. Il avait devant lui les grandes rosaces, une œuvre de génie qui lui racontait un art inconnu de lui, une magie née d'une alliance subtile entre la matière et la couleur, qui exaltait la vie et la lumière. Il s'assit sur un banc, dans un coin de l'église, subjugué. Il n'avait pas prêté, jusqu'alors, une attention particulière à la façon dont on fermait les ouvertures, les vitraux n'étant pour lui qu'une astuce, plutôt colorée et plaisante, pour habiller la pierre. Là, ils parlaient tout seuls, éveillaient chez lui une émotion inconnue qui le ramenait aux êtres qui lui étaient chers, à ses parents, à sa femme aussi. Comme j'aimerais qu'Anne les voie, songea-t-il dans un élan de ferveur, elle qui aime tant les couleurs, les bouquets de fleurs aux harmonies subtiles ! Dès mon retour, je l'emmènerai à Orléans, à Bourges, j'ai tant à partager avec elle ! Il levait des yeux brillants, troublé, comme par une prémonition, comme si ces vitraux lui parlaient de lui, de sa vie avec sa femme, de l'avenir qui l'attendait avec elle.

Il n'en précipita pas son départ pour autant, mais continua à meubler son temps libre de longues promenades, à profiter de ses derniers jours dans la capitale, à flâner et à glaner les souvenirs. Plus tard, ils meubleraient les jours tranquilles de Champigny, ce quotidien paisible, sans voyages ni rencontres, qui lui faisait un peu peur.

Un soir, il marcha longtemps, jusqu'aux limites de la ville et se retrouva face à la tour de Nesle. Le spectacle des porteurs d'eau plongés jusqu'aux genoux dans la Seine pour y puiser le précieux liquide qu'ils allaient vendre à la criée dans les rues et livrer en montant les étages le retint un moment. Puis il traversa le Pont-Neuf, un chef-d'œuvre dont il avait entendu parler depuis longtemps, un édifice audacieux qui ne supportait aucune maison mais réunissait les deux rives, en prenant appui sur la pointe de l'île de la Cité. Il se dirigeait vers la place Royale dont il voulait comparer l'architecture avec celle du palais du duc de Nevers, Louis de Gonzague, qu'il avait pu admirer en se promenant dans les jardins. Il s'engagea d'un pas lent, ému, et s'arrêta au milieu du pont. Penché au-dessus du parapet, il regardait le fleuve couler, quand une bourrade vint l'arracher à sa rêverie.

— Colin !

Ce dernier se retourna brusquement et, la bouche arrondie, reconnut Angoumois, le compagnon qui l'avait accompagné pendant son tour de France, un gaillard avec qui il partageait de joyeux souvenirs. L'homme n'avait guère vieilli, mais sa mise n'attestait pas d'une grande aisance. Ses chaussures étaient usées, ses chausses défraîchies, et le drap de son vêtement présentait quelques accrocs. Il fixait Colin d'une prunelle acérée, et ce dernier se sentit rougir sous ce regard qui enregistrait le bon drap de son costume, la qualité de ses chausses de couleur marron qui tombaient sur des bas du même ton, ses souliers solides, le jabot blanc bien entretenu qui agrémentait son col, ainsi que son chapeau à la mode, orné d'une plume.

— Comment vas-tu depuis notre dernier voyage ? commença Colin, joyeusement. Veux-tu m'accompagner jusqu'à la place Royale, je n'ai pas encore eu le temps de m'y rendre ?

— Soit, accepta Angoumois, avec un air de lassitude qui étonna son compagnon. C'est une belle architecture, notre roi y est installé depuis septembre. Le plus drôle, c'est que son cheval est celui de la statue équestre de Henri IV que la reine mère avait commandée à un élève de Michel-Ange. On s'est servi de la bête pour y mettre Louis XIII en selle. Ainsi se succèdent les monarques...

Il éclata du rire grinçant que Colin connaissait bien. Angoumois était un esprit fort, une intelligence caustique qui n'avait pas laissé que des bons souvenirs à leurs hôtes de passage. Peut-être était-ce l'âge, mais son ironie se faisait plus amère, l'aigreur pointait dans ses propos, dans les regards en coin qu'il adressait à Colin.

— Que fais-tu à Paris ? demanda-t-il d'un air de défi.

— Un buste pour un grand seigneur, se rengorgea Colin. Je l'ai terminé mais j'en profite pour me donner un peu de bon temps, visiter la ville avant mon départ, ajouta-t-il comme pris en défaut. Et toi ?

Angoumois hésita avant de répondre.

— C'est une longue histoire, je ne suis pas sûr que tu puisses comprendre, avec ta mise de bourgeois.

— Décidément, cela se voit tant, releva Colin avec agacement, ma logeuse me l'a déjà dit ce matin. Si cela continue, je vais jeter mon chapeau dans la rivière !

— On ne juge pas l'artiste à ses vêtements, reprit l'autre d'un ton sentencieux, et tu ne gagneras rien à mimer celui que tu n'es pas. Tu contentes ta femme et tu honores ton village, c'est bien. Moi je vis différemment, comme quoi, le compagnonnage mène à tout !

— Tu vis comment ? attaqua Colin, ulcéré.

— Tu veux vraiment le savoir ? Prends garde, tu risques de ne pas t'en remettre...

Et, d'une grande claque sur le dos, il l'entraîna à sa suite.

Ils s'enfoncèrent dans des ruelles obscures, désertes, peuplées de créatures louches qui disparaissaient dans des porches, des silhouettes qui se croisaient sans s'éviter.

— Dis-moi, l'ami, où me conduis-tu ? interrogea Colin, mal à l'aise.

— Dame, il fallait vraiment que tu me rencontres,

s'exclama l'autre. Ne me dis pas que tu es resté chaste depuis que tu as quitté ta femme ! Ne t'inquiète pas, là où nous allons, personne ne te force !

Il éclata d'un rire vulgaire et le précéda dans un cabaret situé en contrebas, une cave d'où s'échappaient des bruits de gobelets heurtés contre les tables, des odeurs fortes de vin et de viandes au fumet épicé. Colin descendit les marches d'un pas prudent. La pierre gluante d'humidité et de crachats glissait sous les pieds, les murs noircis par la fumée des chandelles suintaient autour des tables entourées de bancs, peuplées d'hommes en majorité. Au milieu des gesticulations des buveurs circulaient des serveuses aux guimpes blanches largement découvertes sur les bras, la taille serrée par le corselet, la gorge à moitié échappée du décolleté généreux. Elles riaient, les mains pleines de bouillons, gobelets, écuelles tandis que les mains des clients les caressaient à la sauvette. Parfois elles s'asseyaient sur leurs genoux et se laissaient embrasser. Souvent, elles entraînaient le client dans l'arrière-salle sous l'œil bonasse du tavernier qui se contentait de tendre la main en direction de l'escarcelle du client. Colin ne fit pas longtemps semblant d'être choqué. Une jolie fille vint se percher sur ses genoux sous prétexte de le faire boire, lui chuchota à l'oreille des propositions qui le firent rougir.

— Laisse-la faire, lui dit Angoumois. Elle connaît son métier, tu n'auras même pas l'impression de tromper ta femme.

Quand Colin revint, les yeux brillants, encore étourdi par une expérience qui le changeait de tout ce qu'il avait pu connaître jusqu'alors, Angoumois avait disparu. Ils passèrent la nuit dans l'endroit, à disparaître l'un après l'autre, appelé par les charmes des ribaudes qui se succédaient.

Quand ils sortirent du cabaret, épuisés, le jour commençait tout juste. Ils marchèrent en silence, Colin évitait de croiser le regard de son compagnon, gêné de son jugement. Angoumois n'avait ni femme ni enfant, mais lui ? Jeune marié, doté d'une épouse ravissante comme il l'avait expliqué longuement, il se laissait aller à de pareils débordements ! L'ironie d'Angoumois lui était insupportable. Par bonheur, il n'eut guère le temps de se reprocher sa méconduite. Un coup violent, frappé contre la nuque, le jeta au sol. Il sombra dans une pluie d'étoiles.

Lentement, Colin sortit des ténèbres. Sa tête pesait, douloureuse, ses tempes le serraient à hurler. Il essaya de se redresser et renonça, le crâne traversé par un élancement, une fulgurance qui lui vrilla jusqu'aux tympans. Il tourna la tête et découvrit qu'il était étendu sur un lit fermé par les rideaux d'un baldaquin. Son corps perclus de contusions s'enfonçait dans le matelas, sa main gauche couverte d'un bandage reposait sur son ventre. De son bras libre, il écarta le voile. Il gisait dans une vaste pièce éclairée par de hautes fenêtres, des lits semblables au sien s'alignaient sur une longue rangée le long de laquelle circulaient des religieuses et des dames à la mise luxueuse, qui tranchait sur l'austérité ambiante. Colin voulut appeler une de ces dames pour lui demander où il se trouvait, mais ses forces le trahirent et il plongea dans un deuxième sommeil. Après quelques heures de repos, ses efforts furent récompensés. Il apprit qu'on le soignait à l'hôpital de la Charité, rue de la Chapelle-Saint-Pierre, où des soldats du guet l'avaient amené la veille au soir après l'avoir ramassé dans une ruelle, détroussé et sans connaissance. Il ne souffrait apparemment d'aucune fracture, mais de quelques contusions.

Colin se frotta les yeux, la mine si penaude que la religieuse ne put s'empêcher d'esquisser un sourire.

— La prochaine fois, vous veillerez à vos fréquentations, mon fils. En attendant, vous devriez vous rendre aux étuves, cela vous fera du bien.

— Comment va mon compagnon ? s'inquiéta soudain Colin.

La religieuse avait haussé les épaules en tournant les talons.

Angoumois m'a trahi. Il a manigancé l'agression avec des complices et il s'est enfui avec eux. Colin ruminait, la tête douloureuse sur le chemin de l'adresse qu'on lui avait indiquée, rue Marivaux, non loin du Palais. Il se sentait humilié, vexé d'avoir ainsi dévoilé ses faiblesses devant l'autre, de lui avoir accordé sa confiance. Il était trop facile de le tenter, seul dans la grande ville depuis des mois. Il suffisait d'un Angoumois, de quelques pichets de vin, de l'endroit propice, et il devenait un autre homme, très éloigné du Colin sage et sérieux que chacun connaissait. A commencer par l'intéressé lui-même qui ne se serait jamais cru capable de telles fredaines. Anne lui manquait-elle à ce point, ou au contraire si peu ? Pas un instant il n'avait songé à elle, la veille, quand il avait pris son plaisir, voracement et sans égards pour les ribaudes dont c'était le métier. La douce épouse restée à Champigny et ces femelles rompues aux secrets du plaisir, aux délices de la luxure, n'appartenaient pas au même monde. Anne trônait dans un univers de pureté, devant lequel il s'inclinait, empli d'un amour respectueux, les autres se roulaient dans la fange du dégoût et du besoin des hommes. Deux vocations, deux destins. Il ne lui venait pas à l'esprit que son épouse pût souhaiter sortir du sien.

Bah, allons nous purifier, soupira-t-il, trop endolori pour se reprocher ses égarements de la veille. L'établissement qu'on lui avait indiqué semblait d'excellente tenue. Ils n'étaient que deux à Paris à proposer ce genre de délassements aux citadins. Les autres, jadis nombreux et ouverts indifféremment aux deux sexes, avaient été fermés sur ordre du roi en raison des excès de débauche qui y régnaient ainsi que du danger qu'ils représentaient lors des épidémies de peste. Colin s'avança, la nuque caressée par une chaleur délicieuse, un bien-être qui l'envahit dès son entrée dans les lieux. Il traversa les bains de vapeur, trois pièces meublées de bancs de plusieurs tailles recouverts de linges, prit place dans une grande salle où se succédaient des cuves allongées, remplies d'eau chaude, dont le fonds et les parois étaient également tapissés de linge afin de garantir le confort des clients.

Il choisit un bain médicinal parfumé aux herbes, s'y prélassa longuement. A Champigny, il n'était pas coutumier de ces douceurs, les rabaissait même d'une parole méprisante quand sa femme les évoquait, avec une nuance de regret dans la voix. Loin d'elle et de l'image de force qu'il voulait lui donner, il devait bien avouer que ces moments de détente lui plaisaient. Autant qu'aux autres !

Un commis qui venait lui proposer une application de ventouses le tira de sa rêverie. Il se redressa et refusa tout net. Ai-je à ce point l'air délicat ? s'interrogea-t-il, rougissant.

— Vous avez tort, insistait l'autre, l'eau chaude a mis votre sang en mouvement, les ventouses dégageraient votre intérieur.

— Merci, je me sens bien comme ça, protesta Colin, rasez-moi plutôt, et qu'on me porte à manger.

Il se sentait fort et sûr de lui à nouveau. Il engloutit le jambon qu'on déposa sur une planche, en travers de sa cuve, et rudoya le barbier qui s'appliquait trop lentement à son gré. Entre hommes de l'art, il avait le droit !

Il revint le lendemain aux étuves, mais le charme s'était évanoui. Il restait le villageois maladroit qui avait été dupé par un ancien compagnon, le mari infidèle qui s'absout lui-même de ses frasques. Paris ne lui renvoyait que l'image de son oisiveté, maintenant que son buste était achevé. Il décida de brusquer son départ et le soir même, confia à un colporteur un message par où il annonçait à sa femme son retour.

Enfin, se persuadait-il, qu'il me tarde de reprendre une vie paisible !

# VIII

La Noël était proche. La neige blanchissait la campagne, recouvrait les pâtures, les cultures et les vignes, ne laissait percer que les bois noirs des ceps qui porteraient les grappes de l'an prochain. Anne contemplait mélancoliquement les lueurs de la lune sur le jardin, quand elle entendit des pas crisser sur la neige et le son d'une clochette. Elle se précipita à la porte, le cœur battant, tomba nez à nez avec une religieuse emmitouflée dans une longue cape noire, une petite créature qui paraissait écrasée par le volume de sa cornette.

— J'ai un message pour vous, siffla-t-elle d'une voix aiguë. Comme je craignais qu'une dame seule n'ouvre pas sa porte à la nuit tombée, j'ai pris la clochette du prêtre pour vous rassurer.

— Vous avez bien fait, approuva Anne, je n'ouvre qu'à mon beau-fils.

La sainte femme la dévisagea d'un air sceptique qui laissait à entendre qu'elle avait eu vent des racontars du village.

— Quel message ? lança Anne d'un ton vif pour masquer sa gêne.

— Je n'ai pas le billet, hélas ! le colporteur qui devait vous le remettre a été attaqué par des malandrins sur la route. Il est mort, le pauvre, il a juste eu le temps de me demander de vous annoncer le retour de votre mari.

— Un triste retour, vraiment, que celui qui s'annonce par la mort du messager, dit la jeune femme en frissonnant.

— Je voulais m'assurer que vous pouviez le recevoir, ajouta l'autre avec un regard méfiant qui la fit ressembler à une belette. Il devrait arriver d'un jour à l'autre.

— Sa femme et sa maison l'attendent tous les jours, riposta la jeune femme. Merci d'être venue si vite et bonsoir, ma sœur.

Elle reconduisit la sainte femme jusqu'au seuil, attendit de la voir disparaître, repoussa sa porte et s'y appuya, déconcertée. Son mari parti depuis deux mois devait bien rentrer un jour, elle le savait. Mais était-ce Thibaud, et ce rythme de femme seule qui s'était imposée à elle peu à peu, elle l'avait oublié. Elle regarda autour d'elle la pièce en désordre, les vêtements qui traînaient par terre, l'âtre déserté. Elle avait négligé ses devoirs de maîtresse de maison, il fallait que cela cesse. Elle se pencha pour ramasser des objets épars, ranger deux écuelles, mais se ravisa et se rendit dans la chambre pour changer les draps du lit. Elle n'avait qu'une crainte que la nuit ne tarda pas à confirmer. La porte barricadée, elle attendit dans l'obscurité et comme chaque soir les petits coups rapides résonnèrent contre les volets.

Thibaud venait la harceler encore.

Elle resta coite, figée sur sa chaise. Après un très long silence, il lui sembla entendre des pas crisser dans la neige et contourner la maison.

Le lendemain matin, munie d'un balai, elle effaçait les empreintes sur la neige autour de la maison et sur le chemin qui menait au portillon, quand elle tomba nez à nez avec Jean.

— Anne, j'ai entendu dire que mon père revenait, est-ce vrai ? Quelle joie, mais laisse donc la neige, elle fondra bien toute seule !

— Il faut que Colin reconnaisse sa maison, balbutia la jeune femme.

— Comme tu veux, il arrive quand, dis-moi.

— Aujourd'hui, demain, très vite en tout cas, poursuivit-elle avec une nervosité qui l'étonna elle-même. Oh! Jean, j'ai tellement peur de ne pas être prête, qu'il aille s'imaginer n'importe quoi...

— Je sais, répondit le jeune homme, mais mon père a confiance en toi.

Pourquoi lui avait-il jeté ce regard grave? Un instant, Anne se demanda s'il avait eu vent des ragots qui se multipliaient sur son compte au village. Il est vrai qu'elle n'avait guère eu le loisir de s'y montrer ces derniers jours... Qu'importe, il ne semblait pas y accorder foi. Pourquoi Colin ne réagirait-il pas de même? Cette idée lui redonna du courage et elle s'empressa de se mettre à l'ouvrage.

Très vite, la maison reprit un air de fête. Elle travailla jusqu'à midi, tenta d'avaler quelque aliment, sans succès, et passa le reste de la journée à tourner en rond, désœuvrée et inquiète. Cent fois elle inspecta le feu, vérifia la bonne tenue de la soupe au lard qui cuisait dans l'âtre. Cent fois elle s'assura dans les vitres que sa coiffure était bien en place et que ses vêtements lui seyaient. Elle avait revêtu par coquetterie la jupe couleur prune et le corselet garance qu'elle portait sous son amazone pour accompagner Colin jusqu'à Chinon, lors de son départ. La guimpe éclaircissait son teint et le laçage du corset faisait ressortir sa taille et sa poitrine. Elle allait et venait, se levait puis se rasseyait, préoccupée, hantée par le souvenir de cet homme qu'elle avait revu, bien malgré elle. Certes, on pouvait invoquer les circonstances, l'absence prolongée d'un époux qui désertait le domicile conjugal la première année de son mariage, mais cela ne suffisait pas à excuser sa faute, ce mal qui était en elle, son démon. Quand la mauvaise conscience se faisait trop forte, elle s'inquiétait de sa défense, des arguments qu'elle emploierait pour convaincre Colin de sa bonne foi, des parades dont elle aurait usage pour répondre aux accusations. Marguerite lui serait sans doute d'un grand secours, il faudrait qu'elle la mette dans la confidence. Plus tard, elle pria tous les saints qu'elle connaissait pour qu'ils la protègent, leur promit moult cierges, jura qu'elle ne se laisserait plus jamais séduire de sa vie. Enfin, n'y pouvant plus tenir, elle posa sur ses épaules une longue mante fourrée, chaussa ses sabots, et sortit dans le jardin pour observer la route.

Et si elle marchait à la rencontre de son mari ? Il était plus de trois heures. Le soleil rougeoyait derrière les branches des peupliers. Anne marchait depuis quelques minutes quand elle aperçut au loin deux cavaliers arrêtés, qui discouraient avec force animation. Il lui sembla reconnaître son mari, mais elle chassa ce doute. Si près de la revoir, il ne se serait jamais attardé à discuter avec un passant. Toutefois, elle rebroussa chemin.

Elle poussait le portillon du jardin quand un claquement de sabots sur le sol gelé retentit, se rapprocha. C'était Colin, elle en eut l'intuition mais ne se retourna pas. Au contraire, elle se hâta de regagner sa maison, inspira plusieurs fois l'air glacé, la poitrine étranglée par la peur.

Elle arrivait sur le seuil quand un étau lui tomba sur les épaules, une étreinte qui l'enserrait sans douceur, la poussait fermement à l'intérieur. Était-ce bien là l'étreinte d'un époux retrouvant sa bien-aimée ? Anne sentit un grand froid l'envahir, une angoisse qui la laissa sans voix. Colin se tourna vers la porte, la referma calmement, se débarrassa de son feutre, de sa cape de voyage, saisit sa femme par le bras et l'entraîna dans leur chambre. Là, se dévêtant à peine, il la prit sans un mot. Anne se mordit les lèvres, au désespoir. Elle crispa les yeux, humiliée de n'être guère plus qu'une chose dont on reprend possession sans égards, une épouse soumise aux droits du mari. Sa culpabilité l'empêchait pourtant de réagir. Elle jeta un regard sur le visage autrefois familier et ne le reconnut pas. Dur, fermé, il fixait un point au-dessus d'elle.

Toujours silencieux, Colin se rajusta et sortit s'occuper de son cheval.

Il sait tout, songea la jeune femme dans un élan de panique, quelque badaud croisé à l'entrée du village lui aura tout raconté. Je pourrais lui rétorquer n'importe quoi, il ne me croira pas. Et il aura raison, je suis coupable.

Elle leva les yeux, regarda autour d'elle le foyer joyeux, les meubles rutilants, le grand feu qui crépitait dans la cheminée. Tous ces efforts avaient été méprisés, anéantis sous la lueur hostile du regard bleu qu'elle croyait pourtant connaître. Elle s'avança vers l'âtre et s'occupa du dîner. Elle avait prévu un véritable festin. Après la soupe, on dégusterait des tranches du jambon qui attendait, pendu à la solive depuis des mois, accompagnées de pommes de terre cuites sous la cendre. Enfin, Colin se régalerait avec son dessert favori, des œufs cuits dans du lait sucré, une douceur qui lui rappelait son enfance.

Elle entendit des pas, jeta un œil par la fenêtre et à son grand soulagement, reconnut Jean, son beau-fils.

— Bonsoir Anne, je suis désolé, je vous importune sans doute, mais j'avais tellement envie de revoir mon père. Puis je me dis que vous avez tout le temps de vous retrouver !

Devant le sourire gêné d'Anne et la grimace de Colin, il changea de sujet, et l'interrogea sur son voyage. Jean était un compagnon passionné par son art. Très vite, la conversation tourna autour de l'architecture de la ville, des ponts surtout, ces chefs-d'œuvre d'ingéniosité qui fascinaient également les deux hommes. Colin se détendit, évoqua les anecdotes qu'il avait apprises à leur propos, quels étaient les usages qui en réglementaient la fréquentation, le montant des droits de passage. Il s'attarda tout particulièrement sur le Pont-Neuf, le dernier édifié, reconstruit sous Henri III et Henri IV.

— Quelle différence entre ces deux monarques! s'exclama-t-il avec fougue. Imaginez-vous que le jour de l'inauguration du pont, Henri III a passé la journée à pleurer la mort de l'un de ses mignons, un certain Queylus!

— Je ne te crois pas, un roi ne peut pas avoir de ces faiblesses, protesta Jean.

— Il faut croire qu'il était très épris! On raconte que pendant l'agonie du mignon, qui a duré près d'un mois, il avait fait recouvrir de paille la chaussée devant son hôtel, puis barrer le chemin avec des chaînes pour épargner au mourant les bruits de la rue.

— Parle-nous d'Henri IV, ce genre de détail m'exaspère, le coupa Anne avec une audace qui l'étonna elle-même.

N'avait-elle pas décidé de se montrer douce et complaisante devant son mari? Les faiblesses du monarque indigne lui rappelaient sans doute les siennes...

— Tu as raison, ma mie, répondit Colin en la fixant avec sérieux, il vaut mieux rappeler le souvenir des êtres de renom. Henri IV, c'était un autre style, on raconte qu'un jour il s'était amusé sur le pont encore en travaux. Un saut par-ci, un saut par-là, d'une poutrelle à l'autre, voilà un téméraire!

Égayé par ce souvenir plaisant, enhardi par l'intérêt chaleureux que lui portaient ces deux interlocuteurs, Colin parla longuement de son travail à l'hôtel d'Aguesseau, du bon accueil qu'on lui avait réservé, des merveilles qu'il avait admirées pendant ses promenades dans la capitale. Le corps alourdi par le copieux repas, la volonté amollie par la succulence des mets, il en oublia même son ressentiment à l'encontre de sa femme.

— Tu sais, ma douce, je ne t'oublie pas, un jour, je t'emmènerai... commença-t-il avant de s'interrompre, les traits crispés.

— Merci, mon cher mari, se hâta de répondre la jeune femme, comme si de rien n'était. J'aurais dû partir avec toi, il y a trois mois. La maison m'a paru si vide, les journées interminables...

— D'autant que les gens sont méchants, renchérit Jean d'une petite voix.

— Vraiment ? le toisa Colin.

— Ils jalousent ce qui est beau, ils aiment tellement détruire, semer le doute.

Anne écoutait, médusée, son beau-fils la défendre à mots couverts. Ainsi, il savait les médisances qui couraient à son propos dans le village, il l'avait sans doute protégée sans le lui dire. Maintenant, il tentait de l'absoudre aux yeux de son mari. Quel allié il faisait ! Et dire qu'elle l'avait un temps considéré comme un ennemi, se reprocha-t-elle.

— Prenez l'exemple de ce Chignard, de l'autre côté de la rue, poursuivit Jean. Le drôle passe ses journées à observer ses voisines et à médire sur leur compte. Je ne m'étonne pas qu'il ait choisi Anne comme cible. Il a même été jusqu'à me conseiller d'habiter avec elle pour protéger sa réputation pendant ton absence !

— Qu'as-tu répondu ? le coupa Colin, l'œil méfiant.

— Qu'Anne ne risquait rien et que, par définition, une femme mariée n'avait pas besoin de chaperon. Que je lui rendais visite presque chaque soir, et que sa voisine Marguerite la conviait souvent à passer la journée chez elle.

— Marguerite ! s'exclama Colin, le visage durci à ce

dernier nom. J'ai entendu dire que ce n'était pas une femme très respectable.

— Les gens disent n'importe quoi, riposta le jeune homme, Marguerite s'est montrée très amicale, n'est-ce pas, Anne ? Te rappelles-tu le jour où elle t'a accompagnée au chantier m'apporter le repas que tu avais oublié ? Tu avais peur de venir toute seule !

Colin l'écoutait, soucieux, ne sachant visiblement quelle attitude adopter.

— Jean, je te suis tellement reconnaissante ! lança la jeune femme, je ne sais ce que j'aurais fait sans ton appui, avec les réflexions de ce Chignard, toujours à épier après moi... Il faut dire que je lui ai répondu bien sèchement...

Elle se félicita dans son for intérieur d'avoir trouvé cette explication à l'agressivité du voisin. Et le regard de Colin qu'elle croisa enfin lui confirma qu'elle avait regagné en partie sa confiance. Alors, confortée, soulagée, elle se mit à parler d'abondance, à conter les menus faits du quotidien, à narrer son équipée à Richelieu — en omettant bien sûr sa rencontre avec Thibaud —, à confier son impatience du retour de son mari, la joie de lire ses lettres avec Jean.

Colin se leva de table, s'installa dans son fauteuil de paille, devant l'âtre où rougeoyaient encore quelques braises. Jean s'empressa de jeter des bûches pour ranimer le feu. Colin plongea son regard dans la lueur dansante des flammes, la mine préoccupée. Anne et Jean se taisaient, respectant son silence. Enfin, il parla.

— Je ne mesurais pas à quel point il pouvait être éprouvant pour une jeune femme de demeurer ainsi seule au logis. Je comptais sur les voisins pour égayer ta solitude... Peut-être ta fierté les aura-t-elle déroutés, ma femme, je suis certain que si tu avais eu vraiment besoin d'eux, ils auraient été les premiers à venir t'aider.

— Certes, si la maison avait pris feu, je les aurais vus accourir, répondit la jeune femme non sans ironie, par peur que les flammes ne gagnent la leur...

— Tu es bien sévère, ma mie, mais tout cela est fini, maintenant. Je suis là et personne ne te manquera plus de respect.

Jean s'éclipsa discrètement. Il avait accompli son devoir, les deux époux enfin réconciliés pouvaient rester seuls.

Colin et Anne se tenaient debout devant les flammes. Il lui tendit ses deux bras. Elle s'y jeta et ses larmes devinrent très vite des pleurs de joie.

La vie reprit son cours normal. Colin disparaissait toute la journée à son travail, à Chinon ou à Richelieu. Certains soirs, des traces de pas sur la neige autour de la maison allumaient des éclairs de méfiance dans ses yeux, mais il se gardait bien de faire part de ses soupçons à sa femme. Il se souvenait de l'affront qu'elle avait subi à son retour et se jurait de ne jamais lui imposer d'autre avanie de ce genre. Il avait décidé de lui faire confiance. Pourtant le doute le taraudait, un malaise que même l'accalmie de Noël ne parvint pas à dissiper.

Champigny retenait son souffle, engourdi sous la neige. La trêve de Noël coupait le long hiver de ses douceurs bienvenues, les habitants du village se saluaient ce jour-là avec bonhomie, les querelles et les rancœurs n'étant plus de mise. Anne et Colin avaient invité Jean à partager leur souper, ce qui ne constituait pas une exception à la règle, car chaque soir le voyait s'attabler en leur compagnie. Par gêne de se retrouver seuls ou par commisération vis-à-vis de ce célibataire, les deux époux appréciaient sa compagnie.

Anne avait déployé des efforts tout particuliers pour ce

menu de fête. La veille, elle avait confectionné des fouaces, ces galettes de froment cuites sous la cendre, qui servaient d'écuelles. Soupe et volailles du pigeonnier, la fierté de Jean qui s'enorgueillissait de cette construction d'ordinaire réservée aux nobles. Ils s'étaient régalés avant la cérémonie des desserts, une faveur que la jeune femme avait accordée à chacun des deux hommes en leur cuisinant les gâteaux qui avaient réjoui leur enfance : un raisiné aux poires berrichon et une tarte aux prunes pour Jean, un pâté aux poires pour Colin. La conversation fut animée et le vin, excellent, les porta aux confidences. Jean raconta les changements d'équipe survenus sur son chantier, le départ des compagnons les plus talentueux, ou les plus joyeux... Il en vint à mentionner le nom de Thibaud.

— Je crois bien que j'ai déjà entendu parler de lui, intervint Colin, il aurait laissé quelques bâtards au village...

Le cœur d'Anne se mit à battre la chamade. Si Colin n'était pas revenu à temps, peut-être compterait-elle aujourd'hui parmi ces femmes portant en leur sein le fruit d'un adultère.

— Qu'as-tu ? interrogea soudain son mari en la voyant frissonner. Nous n'aurions pas dû nous rendre à l'église, elle est toujours glaciale et, ce soir, j'en avais les os transpercés...

— Non, je vais très bien, s'excusa la jeune femme avec maladresse. C'est que j'ai pris une décision, elle m'impressionne, voilà.

— Laquelle ? questionna son mari d'un air sceptique.

— Je vais laisser mes amulettes, lâcha-t-elle tout à trac. Ne me regarde pas ainsi, Jean, je n'ai pas voulu t'inquiéter avec cela, mais peu après le départ de Colin des taches rouges me sont venues sur la peau, à l'épaule gauche. Je suis allée consulter une panseuse que connaissait Marguerite. Elle m'a fait une application de lait bourru, dit des prières et donné l'amulette que voici.

Elle fouilla dans sa manche et déposa sur la table un petit sachet de tissu.

— Il contient des langues de serpent, vous devez me trouver un peu folle, n'est-ce pas ?

— Non, ma mie — Colin hocha la tête —, mes années de compagnonnage et d'équipées dans des endroits reculés, parfois dépourvus de tout soutien de la science m'ont amené à regarder autrement la maladie et les efforts que déploie l'homme pour s'en débarrasser. Pour moi, bien plus qu'un châtiment divin, c'est une rupture d'harmonie entre l'homme et son entourage naturel.

— N'est-elle pas voulue par Dieu ? observa Jean prudemment.

— Que le prêtre s'en occupe, alors ! Mon expérience m'a enseigné que les malades les plus courageux trouvent tout seuls le remède qui les guérit. Pour peu qu'ils ne redoutent pas la souffrance... Alors amulettes et autres sorcelleries, pourquoi pas, si cela peut apporter le soulagement.

Il fixa sévèrement sa femme.

— Pourquoi ne m'as-tu rien dit ?

— Je ne voulais pas t'ennuyer, puis j'étais si sûre de guérir avant ton retour, se hâta d'ajouter Anne en jetant l'amulette dans le feu.

Elle se retourna vers Colin, radieuse.

— En vérité, c'est ton retour qui m'a guérie.

— Si tu penses vraiment que c'est le meilleur remède.

Il prit sa main et la porta contre ses lèvres, non sans marquer un temps d'arrêt qu'Anne et Jean remarquèrent tous les deux.

# IX

ANNE pensait pouvoir oublier le passé, mais le passé la poursuivait. Chignard entrevu au détour d'une rue, Marguerite croisée au marché surgissaient et sa culpabilité l'envahissait à nouveau, une honte, un souvenir qu'elle aurait voulu voir disparaître à jamais. Ainsi, un matin, elle tomba nez à nez avec son ancienne complice.

— Ma vie est bien terne en ce moment, lui annonça Marguerite avec sa tête des mauvais jours.

— Que se passe-t-il ?

— Mon mari ne quitte plus la maison ! Il prétend qu'il est inutile d'aller vendre ses légumes au marché de Chinon comme je l'ai poussé à le faire ; il se lamente parce que son vin se vend mal. Dame ! il ne vaut pas ceux du Nord, vers la Loire, comme le fameux breton du pays de Véron.

— Celui qui prend un goût de framboise en vieillissant dans des grottes ?

— Tu aimes le vin, à ce que je vois ! plaisanta Marguerite.

— Pourquoi pas ?

La voisine eut un geste las.

— En tout cas, je n'en peux plus de l'entendre marmonner ses regrets à longueur de temps.

— Bah ! ce n'est qu'un mauvais moment à passer, tout s'arrangera dès le printemps.

De fait, le mari de Marguerite, poussé par son épouse, avait trouvé du travail chez des vignerons de la côte de Chinon, mais s'était arrangé pour ne pas lui préciser la date de son retour.

— Je n'ose plus sortir de chez moi, se plaignit-elle à son amie venue lui rendre visite, les voisins me surveillent, à la demande de mon mari, j'en suis sûre. Tu ne voudrais pas m'inviter...

— Ne me demande plus rien ! la coupa la femme de Colin, d'un ton sec.

— Je te trouve bien ingrate, se lamenta l'autre. Mon Dieu, comme je m'ennuie, entre mes quatre murs ! Si au moins j'avais un enfant pour occuper mes jours...

— Très bonne idée, tu aurais une bonne raison de rester chez toi, bien au chaud et l'esprit calme, déclara Anne avec froideur, effleurée par l'idée que le conseil pouvait aussi s'appliquer à elle.

Anne avait aussi fort à faire avec la sollicitude de son mari. Colin s'occupait de son bien-être et ne cessait de veiller sur elle, comme s'il craignait qu'elle ne vienne à se lasser. Il trouvait curieux qu'elle prenne peu de distractions, qu'elle reste enfermée une bonne partie de la journée, qu'elle ne profite pas davantage du beau temps. La neige avait fondu, en effet, et l'air ne mordait plus les visages.

— Tu ne veux pas inviter Marguerite, comme tu le faisais autrefois ? hasarda-t-il un jour qu'elle regardait par la fenêtre, installée dans son fauteuil.

— Je croyais que tu n'aimais pas que je la fréquente, sursauta sa femme. Puis, si Marguerite est une voisine agréable, son mari est d'un commerce très peu plaisant. Enfin, si tu insistes...

— Non, fais selon ton désir, se hâta de conclure Colin, convaincu par la dernière objection.

Anne sourit en son for intérieur. Elle savait que Colin était pointilleux sur ses fréquentations et n'aurait jamais admis de perdre son temps libre avec un importun. Cette exigence lui venait tout droit de ses années de compagnonnage, des rencontres passionnées et des liens d'amitié infrangibles qu'il avait tissés avec les siens. Anne l'en estimait vivement, et s'en arrangeait fort bien.

Que se passerait-il si Colin venait à rencontrer le mari de son amie ? Marguerite n'était pas d'une discrétion à toute épreuve et les remarques désobligeantes du mari, d'un naturel méfiant, pourraient à nouveau éveiller les soupçons de Colin.

Le printemps arrivait, la terre renaissait sous les fleurs et les parfums, les primevères et les violettes clairsemaient à nouveau les sentiers, chacun retrouvait le sourire. Anne croyait pouvoir enfin oublier.

Toutefois, un soir de février, la nuit tombait sous un ciel bas et nuageux quand elle rencontra Chignard.

— Quelle surprise, voisine ! Cela fait bien trois mois que je ne vous avais pas croisée.

— C'est possible.

— Tout doux, ne soyez pas si agressive, ce n'est pas parce que j'ai parlé à votre mari le jour de son retour...

C'était donc lui, s'indigna la jeune femme en ravalant sa colère, dire qu'il a dû faire le guet toute la journée pour cela !

— Ne vous inquiétez pas, je vous ai défendue, poursuivit Chignard.

— Contre qui ? s'empourpra son interlocutrice, je n'étais pas attaquée, que je sache.

— Enfin, vous savez bien, les ragots, vous n'avez pas remarqué que les gens vous fuyaient ?

Anne ne put maîtriser sa colère plus longtemps.

— Vous n'êtes qu'une peste, à monter les gens les uns contre les autres, passez votre chemin, je n'ai rien à vous dire !

L'autre lui attrapa la manche, la mine chafouine.

— Voyons, voisine, il y a des choses que nous savons vous et moi... Que vos visiteurs n'étaient pas toujours votre beau-fils, ou votre chère amie Marguerite. Mais vous êtes toute pâle, s'exclama-t-il en lui jetant un regard faussement compatissant, pourquoi n'entrez-vous pas quelques instants, je vous donnerai des excuses pour ruser avec votre mari.

A ces derniers mots, Anne sentit la rage l'envahir, lui monter aux tempes, lui picoter les doigts. Elle se dégagea d'une secousse et le gifla à toute volée.

Un bruit de pas retentit derrière elle. Colin avait aperçu la scène depuis son jardin et se précipitait.

— Qu'avez-vous dit à ma femme pour qu'elle réagisse de la sorte ? Parlez !

Tandis que le voisin, la joue en feu, balbutiait des explications, trop choqué pour lâcher ses insinuations habituelles, Anne saisit la main de Colin et l'entraîna fermement.

— Je t'en supplie, il faut que je te parle.

A sa grande surprise, Colin se laissa faire, comme s'il attendait cette discussion depuis le début.

— Chignard a raison, j'ai eu des visites, commença-t-elle, sous son regard dur, étonnamment fixe, mais tu te doutes bien qu'elles ne m'étaient pas destinées. Marguerite, je lui ai rendu service, c'est tout. Elle était dans une telle détresse. Son mari, si tu savais...

Elle alignait les arguments, maladroite, confuse, rouge de mauvaise foi. Il avait refermé la porte de la maison, ne la quittait pas des yeux, les bras croisés.

— Je vais aller trouver cette femme, lança-t-il soudain, très calme.

— Tu es fou, pourquoi ?

— Pour avoir enfin la vérité sur cette histoire.

— Tu ne peux pas, pense à elle, à son mari, il va tout découvrir ! s'affola la jeune femme.

Colin eut un rire amer.

— Au point où ils en sont, je ne vois pas ce que cela changera. Puis j'en ai assez que tu passes pour une épouse malhonnête. Sais-tu ce qu'on dit au village ?

Il fixait les flammes dont le reflet passait dans ses yeux vides. Anne, malgré elle, baissa la tête.

— On raconte que tu t'es entichée de cette fille de mauvaise réputation, que tu l'as conviée plusieurs fois à dormir avec toi, que vous avez reçu des hommes, ensemble et séparément. Que l'un d'eux te rendait encore visite la veille de mon retour.

Anne n'osait relever la tête. Un sarment éclata, puis le silence s'installa. Dans le lointain, des chiens aboyèrent.

— Je n'ai pas voulu le croire, reprit Colin sur ce ton froid qui l'oppressait, mais quand je t'ai vu me guetter dehors, le jour de mon retour, tout échevelée, au lieu de m'attendre tranquillement dans ton logis, comme une femme honnête, le doute m'a saisi. Et il ne m'a pas quitté, ajouta-t-il après un silence.

Anne resta prostrée, incapable de prononcer la moindre parole. Colin attendit quelques instants, puis sortit en lui annonçant qu'il passerait la nuit chez Jean et se rendrait directement à son travail.

Le lendemain soir, à son retour, il la prévint qu'il partirait en voyage. Seul.

Tous les efforts que mit Anne à se disculper se révélèrent vains. On eût dit qu'un malin génie s'évertuait à l'enfoncer dans sa faute et à précipiter la fuite de Colin. En désespoir de cause, Anne, qu'épouvantait ce départ prochain, requit l'aide de Marguerite.

Mauvaise épouse mais amie de cœur, la voisine accepta d'aller plaider auprès de Colin, quitte à prendre sur elle toute la faute.

— Croyez-moi, maître Colin, votre épouse s'est montrée d'une loyauté sans faille, tous ces forfaits ne sont que des racontars de mauvaises langues !

Sa défense était d'autant plus sincère qu'elle ignorait les visites de Thibaud ; sa mauvaise réputation qui la mettait à l'écart dans le village et l'empêchait de connaître les ragots.

— Si je comprends bien, la toisa Colin, ma femme a couvert vos infidélités, et maintenant vous lui rendez la pareille. Jolie morale que vous pratiquez toutes les deux !

Sous son regard méprisant, les deux femmes restèrent muettes, côte à côte, dans une posture d'accusées.

— Marguerite, articula Colin d'un ton grave, je vais parler à votre mari.

La jeune femme fit un pas vers lui.

— Maître Colin, je vous en supplie ! Votre parole ne servirait à rien, le pauvre est déjà persuadé de son infortune et ma réputation au village n'est plus à faire. Mais c'est Anne et vous, peut-être, que vous risqueriez de compromettre dans cette histoire. Je vous en prie, cessez de lui en vouloir, elle ne le mérite pas.

Elle se jeta aux genoux de Colin qui, très embarrassé, esquissa le geste de la relever. Anne l'avait déjà saisie par le bras, la faisant asseoir à côté d'elle.

— Marguerite, ta loyauté est sans limite. Je te remercie du fond du cœur.

Colin regarda les deux femmes, la complicité qui les unissait face à lui, le mari soupçonneux. Quel rôle ridicule elles me font tenir, pesta-t-il en tournant les talons, qu'importe, j'en aurai le cœur net.

Quand il revint, la voisine avait disparu. Anne fixait toujours le feu.

— Anne, il me reste un doute, si seulement tu t'étais défendue à mon retour !

Il tisonnait le feu d'un geste machinal, sans oser la regarder.

— C'est donc cela ! s'exclama la jeune femme, le cœur soudain gonflé d'espoir. T'es-tu seulement mis à ma place ? Une femme séparée de son mari depuis des mois ne l'accueille pas comme si elle l'avait vu la veille. Tu as sans doute pris de mauvaises habitudes à Paris...

Piqué au vif, Colin lâcha le tisonnier et lui enserra les épaules avec force.

— Que veux-tu dire par là, que j'ai été infidèle ? Trop facile.

— Pourquoi alors crois-tu que je l'ai été ? gémit la jeune femme.

Colin hésita, puis relâcha son étreinte.

— Je ne pars plus, c'est ce que tu veux ?

— Non. Ce que je veux, c'est regagner ta confiance.

Colin ne répondit pas.

Le soir, au dîner, il s'entretint de son futur départ avec son fils, comme si de rien n'était.

— Si tu voyais les vitraux de Notre-Dame, s'enflammait-il, tu comprendrais ce que je vais chercher. Sans la lumière, nos sculptures, nos chefs-d'œuvre, nos frises sur la pierre ne sont rien. Champenois la Gaîté, un compagnon que j'ai rencontré, m'a convaincu. Je vais m'initier, faire le tour des cathédrales des environs d'abord, puis pousser dans le Sud-Est où vivent des verriers de renom.

— Vous allez abandonner la sculpture ?

— Non, cela sera un art en plus. Imagine, si je construisais moi-même une chapelle. Architecte, maçon, sculpteur et verrier, tout à la fois, cela te tenterait ? lança-t-il avec enthousiasme.

Jean sourit devant ses yeux fiévreux, ses mains qui dessinaient dans l'air ses grands projets. Il admirait son père, sa passion pour le travail, son talent et sa soif d'apprendre. Bien sûr que le projet le tenterait. Toutefois, par politesse, il s'adressa d'abord à la jeune femme qui grignotait discrètement, au bout de la table.

— Et toi, que penses-tu de ce beau projet ?

Colin la coupa alors qu'elle avait à peine ouvert la bouche.

— Je n'ai pas coutume de demander conseil aux femmes, lança-t-il avec impatience.

— Il me semble que je n'ai pas de place dans ce choix, remarqua la jeune femme, résignée.

— De toute façon, reprit Colin pour rompre le malaise qui s'installait autour de la table, je vous donnerai des nouvelles. La poste de notre bon roi Henri fera le reste. Fini, le temps des parchemins et des cachets de cire, des colporteurs dont on n'était jamais sûr.

— Il y avait d'autres possibilités, je crois ? interrogea Jean qui voyait dans cette discussion une diversion à la tension, insupportable, qui régnait entre les deux époux.

— Oui, les messagers de l'université et les courriers royaux, au service de Sa Majesté.

— J'ai entendu dire que les abbayes et les couvents avaient leurs propres messagers, continua Jean, de plus en plus mal à l'aise.

— Bien sûr, ils ont été les premiers à s'organiser et à utiliser les moines pour acheminer leurs parchemins, qu'on appelle d'ailleurs *rotula*.

Colin pontifiait, tout souriant. Anne reprit courage.

— Nos rois œuvrent tellement pour le bien du peuple, glissa-t-elle.

— Détrompe-toi, ils ne font que copier les anciens, les Romains, par exemple, qui disposaient de cartes des relais et des distances entre les étapes. Puis, il y a beaucoup de façons d'inscrire les messages. Avant eux, les Grecs utilisaient des scytales, ces sortes de tiges de bois sur lesquelles était entourée une bande de cuir très étroite. Un message était inscrit de haut en bas sur le bâton ainsi recouvert. Ensuite, on déroulait la bandelette portant une succession de lettres devenues incompréhensibles. Il ne restait plus qu'à la porter au destinataire qui, muni d'un bâton de même diamètre, pouvait replacer le tissu de cuir dans sa position initiale et ainsi déchiffrer le message.

Jean ne put s'empêcher de pouffer devant le ton pompeux de son père adoptif.

— Comme on devient savant quand on vit à Paris ! Partez sans crainte, nous recevrons vos messages et les lirons tous les deux, bien attentivement.

Sa bonne humeur détendit l'atmosphère, Colin raconta encore quelques anecdotes et Jean prit congé. Anne le raccompagna jusqu'à la porte du jardin.

— Tiens, j'ai quelque chose pour toi, murmura Jean en fouillant dans sa poche.

Il sortit le petit anneau d'or que Thibaud portait à l'oreille et le lui glissa dans la main.

— Je l'ai trouvé dans le jardin, le jour où tu balayais la neige pour le retour de mon père.

Avant qu'elle ait eu le temps de réagir, il avait disparu. Elle resta immobile, l'anneau brûlant au creux du poing. Vite, il fallait le jeter, anéantir tout ce qui témoignait de sa faute. Elle rentra dans la pièce où Colin était occupé à recouvrir les braises de cendres afin de conserver leur chaleur. Elle s'affaira vaguement auprès de ses écuelles et, quand elle le vit disparaître dans leur chambre, elle se pencha d'un bond et lança l'anneau au fond de l'âtre.

Puis elle regagna le lit conjugal, loin du corps froid et hostile qui défendait son territoire, et pleura en silence jusqu'au matin.

Colin se précipita sur l'âtre dès l'aube. Il tenait à son rôle de maître du foyer et aimait raviver les cendres. Il soufflait sur les charbons quand un éclat doré attira son attention. Il fouilla avec le tisonnier, et isola un morceau d'or sale qu'il fit tomber sur le carrelage.

— Anne, s'écria-t-il, viens voir !

Elle le rejoignit, inquiète de son ton, nerveux, empli d'excitation.

— Eh bien, c'est un anneau, fit-elle remarquer avec un calme forcé.

— Comme tu dis ! Ne fais pas l'innocente, tu vois bien qu'il s'agit d'un joint d'oreille. Qui m'a parlé de cet artisan qui narguait les compagnons avec cet ornement et qui aimait beaucoup les dames ?

Anne le regarda avec toute la sérénité qui pouvait lui rester en une telle circonstance.

— Tu devrais faire confiance à la réalité, elle est toujours plus simple. C'est peut-être un anneau perdu dans la rue, qui s'est collé sous une semelle, ou encore jeté sur des bûches par un enfant qui l'aura trouvé ailleurs...

Son mari haussa les épaules, jeta l'anneau dans le feu et sortit seller son cheval. Bientôt sa femme l'entendit galoper vers le chantier. Prestement, elle écarta bûches et braises pour mettre à jour le métal, un magma informe, qui ne ressemblait plus guère à un anneau. La pièce n'était plus identifiable, désormais. Le cœur de la jeune femme se remit à battre. Son mari s'était débarrassé de l'objet compromettant, cela signifiait qu'il lui faisait confiance ou, du moins, qu'il ne voulait pas savoir. Dans les deux cas, l'espoir était permis.

Elle saisit entre ses doigts la boule de métal et partit l'enterrer dans le jardin.

# X

ANNE et Colin firent une dernière promenade. La journée s'achevait, le printemps lui prêtait une douceur très estivale qui inspirait les confidences, les rêveries, les émois partagés. Hélas ! les époux se trouvaient dans des dispositions d'esprit très différentes. Revenant sur la jalousie de Colin, Anne la rapprocha de celle qu'elle avait ressentie un temps pour le souvenir de Colombe.

— Et encore, elle existait, elle ! Toi, tu jalouses une personne qui n'existe pas.

— Comment puis-je en être sûr ?

— Voyons, sur quels indices te fondes-tu ? plaida la jeune femme avec assurance. Des traces de pas dans le jardin, un anneau calciné, les racontars d'un mauvais homme, c'est peu.

Elle s'en serait persuadée elle-même aussi, s'il n'y avait pas eu ce viol, et les suites du viol.

— Je suis injuste, sans doute, admit Colin, mais je te plaçais si haut dans mon estime ! La simple idée que tu pourrais me mentir m'est insupportable.

— C'est que tu ne m'estimes pas autant que tu le dis, tu étais le premier à traiter Chignard de menteur, autrefois.

— Peut-être, soupira Colin en haussant les épaules. Essayons pour une fois de ne pas nous faire du mal, ce soleil est si beau.

Champigny resplendissait sous les feux du couchant. Les prés verdoyants, les bourgeons gonflés qui brillaient dans les arbres, les primevères prêtes à se refermer pour la nuit, chacun des éléments du paysage invitait à la paix. Ils longèrent la Veude balayée par les longues branches des osiers. Les herbes ondoyaient au fond de l'eau. Des pêcheurs solitaires profitaient des jours plus longs pour tremper un dernier hameçon. Tranquillement installés, çà et là, ils attendaient que remonte à eux la friture. Certains, plus malins, avaient fabriqué un piège à l'aide d'une grosse bouteille de verre dont ils avaient cassé le cul. Ils la posaient, emplie de quelques miettes de pain sur le fond de l'eau, de manière à ce que les poissons qui remontent le courant entrent dans le piège, attirés par les miettes.

— On dirait que cela t'attire, plaisanta Anne devant l'air attentif de son mari.

— J'aimerais bien essayer un jour, mais je ne te vois pas poser tes mains sur ces animaux.

Anne s'esclaffa, heureuse de l'allusion. Elle détestait plumer, tuer, vider viandes, volailles ou poissons, une tâche qui, pourtant, constituait l'ordinaire des épouses « normales ».

— Pour toi, je ferai un effort, dit-elle, avec un regard très doux.

Ils étaient arrivés devant un pont. Colin ne put s'empêcher de la regarder en lui tendant le poing. Comme elle était belle dans sa mise simple, mais gracieuse, avec sa longue jupe bleue et son corsage blanc à manches bouffantes ! Il la retrouvait telle qu'aux premiers temps de leur amour.

— Fou que je suis de te laisser ici ! s'exclama-t-il. Si seulement je pouvais te croire.

Il lança le poing dans l'air, furieux de ne pas réussir à chasser de son esprit les insinuations que d'autres y avaient semées.

— Pars, répondit sa femme d'une voix ferme, tes doutes m'épuisent. Loin de moi, j'espère que tu en mesureras le ridicule.

— Sans doute, nous y verrons plus clair.

Il fixait sa femme avec émotion, heureux de l'argument qu'elle avait trouvé pour justifier ce qui était aussi, de sa part à lui, un voyage d'agrément.

— Anne, ma belle, je te vois une ride au coin des lèvres que je ne te connaissais pas, en suis-je responsable ?

Elle eut un petit rire triste et ne répondit pas.

La période qui suivit se passa en préparatifs. Les deux époux s'affairèrent, unis par un mutisme tacite. Le matin du départ, Colin décrocha sa cape de voyage, enfila ses bottes, saisit son chapeau. Son cheval l'attendait, sellé à l'extérieur, sa femme se tenait sur le pas de la porte, une expression très sereine sur le visage.

— Tu m'accompagnes dans le jardin ? lui proposa le voyageur.

— Ne m'as-tu pas dit que les honnêtes femmes attendent le retour de leur mari à l'intérieur ? Je suppose qu'il en est de même pour leur départ.

— Tu ne désarmes pas, à ce que je vois. Si je te disais que ces mauvaises paroles n'étaient mues que par la colère ?

Anne se jeta dans ses bras.

— Enfin ! Maintenant, je te pardonne, prends soin de toi et reviens-moi vite !

Ils s'étreignirent longuement quand une voix joyeuse les interpella. C'était Jean qui accourait, une sacoche de cuir à la main.

— Elle s'accroche à la taille, expliqua-t-il, tout essouflé, tu pourras lui confier ton argent et tes documents.

— Quelle bonne idée, commenta l'épouse avec une

nuance de regret dans la voix, j'aurais tant aimé l'avoir moi-même !

— Il faudrait que tu te montres davantage dans le village, sourit Jean. On m'a même demandé si Colin ne te séquestrait pas ! J'ai été obligé d'expliquer que vous étiez si contents de vous retrouver qu'il ne restait plus de temps pour les autres.

— Bien répondu, s'exclama Colin d'un air gêné. Il a raison, ma mie, il ne sert à rien de te replier sur ta maison. J'espère que tu continueras à visiter tes amies quand je ne serai plus là.

Quelle libéralité, songea avec ironie la jeune femme, puis plus haut :

— Merci, mon époux, mais je pense avoir de quoi m'occuper.

— Vraiment ? interrogea Colin, la lueur de soupçon à nouveau revenue dans ses yeux.

— Des occupations très importantes, reprit Anne avec un petit sourire, mais je t'en prie, ne te mets pas en retard.

Colin lui obéit, mais il avait à peine les mains sur les rênes qu'il se retournait, le regard suppliant.

— Parle, je n'y puis plus tenir.

— Écoute-moi bien alors. J'attends, nous attendons un enfant.

Colin tomba de son cheval plus qu'il n'en descendit. Jean embrassait déjà les mains de sa belle-mère.

— Que ne l'as-tu dit plus tôt ! s'exclama-t-il en étreignant sa femme.

— Je n'en étais pas sûre jusqu'à ces derniers jours, puis je ne voulais pas que tu changes tes projets pour moi.

— Je ne puis te laisser ainsi, protesta Colin.

— Pars, insista la jeune femme, la voix animée d'une résolution inhabituelle, Jean veillera sur moi.

Colin obéit et se dirigea vers son cheval. Au dernier moment, il se tourna vers Anne et Jean qui l'avaient accompagnés devant la maison et leur déclara, la mine grave :

— Jean, je te laisse ce que j'ai de plus cher au monde. Prends le plus grand soin de ma femme et de l'enfant qui va naître. N'ouvre la maison à personne, sinon des individus en qui tu peux avoir entière confiance. Je m'en remets à toi.

Il embrassa une dernière fois sa femme, monta en selle et s'éloigna. Un coup de chapeau et il disparaissait au bout du chemin, caché par le premier coude à l'entrée du bois. Anne frissonna.

— Viens, l'attira Jean, tu dois te reposer, dans ton état.

La future mère éclata de rire.

— Tais-toi, nigaud, que sais-tu de l'énergie d'une femme enceinte ? Elle travaille et mange pour deux, et l'enfant ne s'en porte que mieux.

Jean sourit, détendu par la bonne humeur de sa belle-mère.

— Si tu le dis, mais il faudra laisser ton cheval à l'écurie... Même pour m'apporter mon repas sur le chantier, ajouta-t-il en la regardant bien droit dans les yeux.

Anne ouvrit la bouche pour répondre et se ravisa.

Elle lui fit signe de la suivre. Tous deux rentrèrent au logis et prirent place devant l'âtre.

— Jean, écoute-moi sans me regarder. Il y a deux choses que je n'ai pas confessées à mon mari. D'abord, cette histoire de repas, je l'ai inventée, c'était un alibi pour que Marguerite retrouve son galant.

— Tu ne me dois rien, rétorqua Jean, d'un ton gêné.

— Il y a autre chose...

Elle marqua une pause, la voix étranglée par l'émotion.

— Je t'en prie, Anne, tais-toi ! lança le jeune homme.

La jeune femme secoua la tête.

— Non, j'étouffe, il faut que je le dise à quelqu'un. Cette porte a été forcée...

Sa voix s'éteignit, couverte par ses sanglots, mais elle conclut :

— Moi aussi, j'ai été forcée.

Jean s'agenouilla aux pieds de sa belle-mère, la regarda longuement, avec tendresse.

— Je savais. Depuis que j'ai découvert l'anneau d'or. J'ai voulu le tuer mais il était déjà parti.

— Ce n'était pas à toi de me venger. Si seulement il n'y avait pas eu Chignard ! Colin n'aurait rien su et moi, j'aurais fini par oublier... surtout avec l'enfant.

— Tu as fait au mieux, l'apaisa Jean qui s'interrompit, comme saisi par un doute, puis reprit :

— Pardonne-moi, Anne, mais cet enfant, il est bien...

— Celui de Colin, je le jure. Cela fait tout juste trois mois qu'il est rentré.

Anne soupira.

— Ne me tourmente pas plus. Sais-tu qu'il m'arrive de revivre cette scène dans mes cauchemars, de revoir cet homme se précipiter sur moi, de l'entendre tourner autour de la maison, de sortir au petit matin nettoyer ses traces ?

Elle tremblait, impressionnée par son audace, convaincue par ces confessions où manquait l'élément principal : sa complicité avec son agresseur.

— Mon pauvre mari, quelle torture pour nous deux ! Il savait et je ne pouvais rien lui dire, pas même que j'attendais un enfant de lui. Il aurait fait comme les gens du village, il se serait mis à compter les jours sur ses doigts.

Elle éclata en sanglots.

— Oublie, Anne, tu n'es pas coupable, la rassura Jean en lui caressant la main, il faut te consacrer à l'enfant qui doit venir.

La jeune femme baissa la tête sans répondre.

Cet entretien, s'il resserra ses liens avec son beau-fils, ne la délivra pas pour autant de sa faute. Certes, elle comptait sur Jean pour ne jamais répéter le secret qu'elle lui avait confié, mais elle ne pouvait s'empêcher d'imaginer la colère de son mari s'il venait à apprendre ses infidélités. A l'occasion, il lui arrivait d'oublier, de se persuader qu'elle n'avait pas ouvert la porte à Thibaud, la deuxième fois. Mais le sentiment de la faute reprenait le dessus, bien réel. Elle cessa d'aller à confesse, le curé du village lui en fit le reproche. Elle ne pouvait se résoudre à lui avouer sa faute et se refusait de mentir à Dieu. Et les Pâques approchaient, elle devrait prendre une décision, ne serait-ce que pour le salut de l'enfant qui grandissait, ce petit qui vivait, lourd de sa faute à elle.

Un jour, elle prit son cheval et, d'un pas tranquille, le mena jusqu'au hameau où vivaient ses parents. Ils accueillirent avec émotion cette fille qu'ils avaient si peu l'occasion de voir et l'annonce de la naissance prochaine de leur petit-fils les mit en joie. Dans ces lieux où s'était déroulé son enfance, Anne passa une journée délicieuse, se faisant dorloter par sa mère, écoutant ses conseils volubiles sur sa grossesse, l'accouchement et l'éducation des enfants, souriant au regard plein d'affection de son père. Le soir, quand elle les quitta, elle se sentit rassérénée. Elle donnerait au petit Nicolas — elle savait que Colin aimait ce prénom — la paix et le bonheur que chaque enfant qui naît devrait recevoir en partage.

# XI

UNE chaude nuit d'avril, Jean et Anne finissaient de dîner, fenêtre ouverte sur la rue, quand un pas hésitant les avertit d'une présence. Un homme s'encadra dans la croisée.

— Est-ce bien la demeure de maître Colin ?

— Oui, il lui serait arrivé quelque chose ? questionna la jeune femme, inquiète.

— Pensez-vous ! la rassura l'homme avec un large sourire. Nous nous sommes rencontrés à Paris et je lui avais promis que je passerais le voir si le hasard m'amenait à Richelieu.

Anne lui avait à peine fait signe d'entrer qu'il s'était déjà installé à la table. Sa désinvolture, sa mise négligée, les taches et les déchirures de ses vêtements la mirent mal à l'aise, mais déjà l'homme lui tendait la main.

— On me nomme Champenois la Gaîté.

— Soyez le bienvenu, lui répondit Jean. Mon père est parti, malheureusement, visiter des maîtres verriers à Bourges ou à Chartres, je ne sais plus très bien. Mais vous êtes peut-être le maître verrier dont il nous a parlé ?

— Eh oui ! s'exclama l'autre d'un ton bonhomme, comme je regrette de l'avoir manqué !

Il ment, songea Anne qui, terriblement gênée, ne sut que proposer.

— Avez-vous mangé ?

— Non, et ce n'est pas de refus !

Il attaqua son repas avec appétit tandis qu'Anne et Jean l'observaient, saisis tous deux d'un même sentiment de méfiance. Pourvu qu'il ne demande pas à rester dormir ici, songea Jean, brusquement. Anne ne pourrait lui refuser, au nom de son amitié avec Colin, et elle ruinerait définitivement sa réputation auprès du village.

— Ma belle-mère et moi allons dormir ici, intervint-il, pour cette nuit, je vous offre un lit dans ma maison, non loin d'ici.

— Voilà qui est fort bien.

Le visiteur poursuivit son repas, entrecoupé d'aperçus sur ses voyages, la vie de Paris, les faits et gestes des grands du Royaume qu'il rapportait avec une insistance qu'Anne trouva suspecte. Comme s'il voulait prouver quelque chose, songea-t-elle. Mais Jean avait l'air si captivé par ses propos qu'elle garda ses doutes pour elle.

— J'ai ma demeure dans un des fossés de l'enceinte de Charles V, entre la porte Montmartre et la porte Saint-Honoré, poursuivait l'autre en étalant des connaissances qui ne voulaient rien dire à ses hôtes. C'est un quartier agréable. L'inconvénient, c'est qu'on parle de raser les murs d'enceinte. Mais ce n'est pas pour demain.

— Pourquoi ? questionna Jean, le visage appuyé entre les mains, très absorbé.

— Les concessions rapportent gros à la ville, entre les artisans, les maîtres et les compagnons. Les grands se sont passé le mot. On raconte que le duc de Richelieu aurait acheté une bonne partie de la vieille enceinte, près de cent toises de mur sur quarante de large, avec des jardins et un petit bois.

— Paris s'ouvre, on dirait, nota Jean. J'ai entendu dire que nos rois avaient rapporté d'Italie ce plaisir des jardins, des beaux châteaux sur les bords de la Loire.

Le maître verrier reposa son verre vide, la mine approbatrice.

— Certes, et pendant ce temps, le Louvre se vide. Il faut quelque querelle religieuse pour que nos souverains reviennent s'y réfugier.

— Sans doute parce qu'ils savent que le petit peuple de Paris leur est acquis, avança Anne.

Jean haussa les épaules d'un geste impatient, et poursuivit :

— Tous ces chantiers, c'est bien pour votre art. Mon père m'a dit que vous y excelliez.

— Il dit vrai, rétorqua l'autre en remplissant son verre, je parcours le pays, d'une commande à l'autre, avec mon sac pour seul bien, mes outils ne me quittent pas.

Il désigna son bagage posé dans un coin de la pièce.

— Montrez-les-nous, je vous en prie, s'écria Anne, heureuse à l'idée de se rapprocher ainsi de son mari.

— Avec plaisir, charmante hôtesse.

Il lui sourit, obséquieux, sortit les instruments de son sac en les détaillant un par un.

Il y a quelque chose d'exagéré en lui, de faux, soupçonna la jeune femme qui sentit renaître sa méfiance. L'autre lui jeta un coup d'œil, leva vers elle une tige de fer au bout fin et pointu.

— C'est avec cela que je taille le verre, précisa-t-il avec une politesse excessive, qui ne parvint pas à la convaincre.

Il ment, mais je ne sais pas comment. Est-il seulement maître verrier comme il le prétend ? se demanda l'épouse de Colin. Elle prit un air détaché.

— Et comment fabrique-t-on le verre ?

— C'est très simple, reprit l'autre, toujours aussi poli, on mélange de la cendre de hêtre et du sable lavé. On ajoute des oxydes pour colorer..

— Qui décide de la coloration ?

— Les peintres, quand il s'agit de vitraux. On mélange,

puis on cuit, à une température que vous ne sauriez imaginer ! Lorsque le mélange est à point, on se sert d'une canne creuse à long manche pour en cueillir une petite boule. On y injecte de l'air en soufflant par le tuyau afin de la faire gonfler.

— C'est un dur métier, fit remarquer Jean avec candeur, mieux vaut l'exercer jeune.

— L'âge n'y fait rien, rétorqua l'autre en le regardant du coin de l'œil, à trente ans je souffle comme à vingt !

— Et comment obtient-on la forme qui convient aux vitraux ? continua Anne, encore sceptique.

— On pose la boule creuse de tout à l'heure sur une pierre plate et, à l'aide de la canne, on la roule de façon à lui donner la forme d'un cylindre. On fend le rouleau ainsi obtenu dans le sens de la longueur, et on obtient une plaque qu'on chauffe encore un peu pour la rendre plus plane, expliqua l'autre, posément, sans se départir de son insolence.

Il conclut en se servant une large goulée de vin.

— Un délicat travail... remarqua Anne.

— Oui, il faut un tour de main, ce n'est pas à la portée de tout le monde ! se rengorgea le visiteur avec un air content de lui qui surprit ses hôtes, habitués à plus de modestie de la part des compagnons.

— Que fait-on ensuite ? s'enquit Jean qui écoutait, les coudes sur la table, avec une expression fascinée.

— On pose la plaque de verre sur une table où l'on a dessiné le vitrail. Le tracé a été effectué sur un bois qu'on a, au préalable, blanchi à la chaux. Les Italiens, eux, utilisent un patron en parchemin qui peut servir plusieurs fois. Puis vient la découpe, peut-être la partie du travail la plus délicate. Il faut beaucoup d'habileté pour respecter le réseau des plombs qui figurent sur le dessin.

— Mon père admire fort les verriers de votre région, lança Jean avec enthousiasme, je crois qu'ils ont joué un rôle important dans la construction de la grande cathédrale, à Paris.

Le visiteur eut un rire bref, les yeux brillants sous l'effet de l'alcool.

— Je préfère le cimetière des Innocents, on s'y amuse davantage, surtout autour du puits d'amour...

Devant le silence des deux autres, stupéfaits, il se resservit une nouvelle portion de fromage et continua, la bouche pleine :

— Un haut lieu de débauche à Paris ! Je ne vais pas vous faire rougir, madame, en vous décrivant les débauches et autres orgies qui s'y déroulent la nuit. Dès le marché terminé, on y trouve les filles de mauvaises mœurs et les vide-goussets. Sans compter les marchands et les intendants des grandes familles qui viennent à la moutarde, comme on dit, approvisionner leurs maîtres et se détendent avec les bénéfices ! Ah, la vie est belle là-bas ! Mais dites-moi, il commence à faire sommeil !

Jean se leva d'un bond et proposa de le conduire jusqu'à sa chambre, de l'autre côté du village.

Il a tort de se montrer si confiant, songea Anne après leur départ. Je ne savais pas que les compagnons pouvaient boire et parler autant... et sur des matières si légères.

Jean revint très vite, le teint animé.

— Quelle bonne surprise ! s'écria-t-il. Oh pardon, tu dormais, j'ai pourtant fait vite.

— Non, je réfléchissais, ce verrier m'inquiète...

— Bah ! te voilà bien soupçonneuse, n'as-tu pas vu que les initiales sur ses outils correspondent au nom qu'il nous a donné ?

— D'accord, poursuivit Anne, les sourcils froncés, mais cela ne prouve pas qu'il connaisse Colin.

— Quel mal peut-il faire ? Nous verrons demain.

Jean bâilla et, lui souhaitant vaguement bonne nuit, partit rejoindre la chambre qu'elle lui avait préparée.

Au premier coq, le jeune homme ouvrit un œil et se rendit dans la salle pour ranimer le feu. Sa tête le faisait un peu souffrir. Il revit le dîner de la veille et se réjouit à l'idée de retrouver le maître verrier. Colin parti, il éprouvait à nouveau le plaisir d'écouter et d'apprendre. Il écarta les volets et sourit. Les toits fumaient dans un ciel de printemps d'un bleu intense, la journée s'annonçait radieuse.

Accoudé à la fenêtre, Jean regardait ce paysage qui formait son univers, ces maisons, ces chemins qui l'avaient vu devenir grand. Avant, il n'était qu'un petit garçon, un orphelin qu'on prend par la main et qui craint le verdict du maître. Ensuite, Simon l'avait conduit à Champigny et présenté à Colin. Ce dernier lui avait tendu la main, faisant de lui un homme. Et Champenois la Gaîté qu'il avait tant de bonheur à écouter était un ami de Colin.

Les paysans défilaient, en route pour les cultures, les femmes balayaient devant la porte. Le soleil baignait la pièce. Anne fit une entrée éblouissante. Un tablier blanc et une chemise montante égayaient sa longue jupe de couleur marron. Jean rougit de la pensée qui lui vint à cet instant. Il saisit le baquet d'eau vers lequel elle se dirigeait.

— Il est beaucoup trop lourd, s'exclama-t-il pour masquer son émotion. Mon père m'a demandé de veiller sur toi.

— Vraiment, aurais-je un second maître ? demanda la jeune femme d'un ton mutin.

Puis, plus grave :

— Tu ferais mieux d'aller chercher notre visiteur. J'ai pensé à lui toute la nuit, c'est curieux...

Jean hocha la tête d'un air réprobateur, mais lui obéit. Il surgit, quelques minutes plus tard, essoufflé.

— Anne, si tu voyais ma maison ! balbutia-t-il, bouleversé.

— Qu'y a-t-il ?

— Saccagée ! Tout a été fouillé, il a cassé tous les meubles.

Anne eut le cœur serré devant l'étendue des dégâts. Le faux compagnon avait pris des ustensiles, une cuillère d'argent que le jeune homme chérissait comme le seul souvenir d'enfance qui lui restait, les outils offerts par son père, son linge. Les meubles béaient, éventrés, disloqués, la paillasse lardée de coups de couteau déversait son contenu dans toutes les pièces. Anne écarquilla les yeux. Ce buffet aux portes arrachées, ces chaises aux pieds brisés, chacun de ces beaux meubles, amoureusement fabriqués par Colin pour Colombe, jonchaient le sol, morts, détruits. Elle ne put s'empêcher de s'en réjouir, tout en maudissant cette pensée.

Mon Dieu, elle était mauvaise, Chignard n'avait peut-être pas tort. Elle se reprit, et pour se donner bonne conscience, s'en fut prévenir la maréchaussée. Il faudrait aussi avertir Colin pour savoir s'il connaissait vraiment le voleur et interroger les compagnons de travail de Jean à Richelieu pour vérifier s'ils avaient déjà vu le voyageur. Anne et Jean prirent chacun leur part du travail.

Anne s'en voulait encore des mauvaises pensées qui l'avaient assaillie devant ces faits de vandalisme. Elle décida d'aller mettre de l'ordre chez son beau-fils pour apaiser sa conscience et tomba nez à nez avec une jeune fille qui, cotillon retroussé, balayait avec ardeur.

— Excusez-moi, madame, rougit-elle, je ne vous avais pas entendu venir.

— Pourquoi? répondit Anne, furieuse de sentir une pointe de jalousie l'effleurer devant la présence de l'intruse. C'est très aimable à vous de venir nettoyer la maison. Je vais vous aider.

— Non, pas vous, madame! s'exclama la jeune fille spontanément. Jean m'a dit, enfin, je sais que vous devez vous reposer.

— Vous savez tout, remarqua Anne en se forçant à sourire, je me porte fort bien pour l'instant, et nous ferons l'ouvrage ensemble.

Elle ne tarda pas à perdre son agressivité. La jeune fille lui apprit tout en travaillant qu'elle s'appelait Angélique, qu'elle était la fille du meunier, mais qu'elle avait été élevée par une tante, dans un village éloigné, après la mort de sa mère.

Sa gentillesse, la franchise de son propos eurent tôt fait de lui gagner l'amitié de son aînée. Anne, qui s'en voulait de son mouvement d'humeur initial, accueillit Jean d'un ton joyeux à son retour.

— Alors, tu nous caches des choses! s'exclama-t-elle en lui ouvrant toute grande la porte d'une maison pimpante.

Jean bredouilla, embarrassé, tandis qu'Angélique s'esclaffait et accourait lui baiser la joue. La femme de Colin ne put s'empêcher de lui en vouloir de ce bonheur simple et immédiat. Dire que son mari à elle était si loin, au moment où elle aurait eu le plus besoin de lui!

— Venez dîner, proposa-t-elle, pour chasser cette voix malveillante qui se faisait jour en elle.

Jean passa une très mauvaise nuit. Il se reprochait de ne pas avoir écouté Anne, d'avoir méprisé son intuition. Elle sentait que cet homme mentait, pas moi, se repentait-il, inquiet à l'idée du récit qu'elle ferait de l'incident au retour de Colin. Ce dernier avait tellement insisté pour qu'il veille sur Anne ! Il avait négligé ses consignes et, par sa faute, les meubles de Colombe avaient été détruits.

Ma foi, elle m'a confié bien pire, se consolait-il, presque soulagé à l'idée que leurs destins étaient liés par une complicité, même dans la faute.

L'aube pointait quand un remue-ménage vint le tirer de ses réflexions. Il sauta du lit, enfila quelques vêtements dans le désordre et sortit, attiré par l'attroupement qui se formait, malgré l'heure. Les villageois criaient et s'exclamaient autour d'une forme qui gisait sur le sol, pieds et poings liés.

Champenois la Gaîté ! s'exclama intérieurement Jean, atterré par la pitoyable apparition de l'homme qui fanfaronnait la veille devant lui.

Un sergent le reconnut et lui demanda de confirmer par écrit qu'il reconnaissait le voleur.

— Attendez-vous à être convoqué au procès, à Tours.

— J'y viendrai, assura Jean, effrayé par le regard que lui lança le prisonnier.

— Tu mens, fulmina ce dernier, ah, si j'avais pu voir ton père ! Tout aurait été différent. Tu n'aurais pas fait le joli cœur toute la soirée devant sa femme, et je n'aurais pas dormi dans un logis que d'autres ont dépouillé après mon départ. La preuve, on n'a rien trouvé sur moi quand on m'a arrêté !

Les soldats le bousculèrent et l'emmenèrent avec eux. Après leur départ, les commentaires allèrent bon train, chacun interprétant les propos du voleur, ses allusions au comportement de Jean devant Anne. Et si le fils et la belle-mère ne s'en étaient pas tenus à de chastes relations, et si Jean n'avait pas tout manigancé avec un complice ? Ces ragots firent rapidement le tour du village, prenant des proportions telles que Jean décida de mettre lui-même les choses au clair.

Il s'acquit la collaboration discrète d'un compagnon de son chantier et entreprit de reconstituer l'itinéraire du verrier jusqu'à ce qu'on le prenne devant l'étal du boulanger, un pain à la main. Car il était aussi coupable de ce délit, grave pour l'époque.

Ils ne tardèrent pas à découvrir qu'un homme répondant au signalement du verrier était passé à Tavant, un village voisin dont l'église romane présentait dans sa crypte des fresques dont le dessin rappelait celui des icônes byzantines, et qu'il avait demandé son chemin à une femme qui s'était étonnée du lourd ballot qu'il transportait sur son dos.

Le ballot avait disparu à son retour. Le voleur l'avait sans doute confié à un complice rencontré sur la route, ou peut-être dissimulé dans les bois. Fort de cet espoir, Jean et son compagnon prirent une journée de congé et se lancèrent à sa poursuite.

Après Tavant, ils suivirent un sentier qui longeait un bois avant de serpenter sous les arbres. Sitôt pénétrés dans le sous-bois, ils remarquèrent des traces de pas qui s'enfonçaient au cœur de la forêt. Ils découvrirent bientôt une clairière où l'herbe avait été écrasée comme pour servir de couche, deux pierres qui portaient les traces d'un foyer. Jean et son compagnon explorèrent les alentours de ce qui avait manifestement constitué un bivouac, mais ne trouvèrent aucun signe que la terre avait été creusée. En explorant un taillis voisin, ils aperçurent des branches coupées sur le sol, d'autres disparues, comme si on avait essayé de construire quelque chose. Une cabane ? s'interrogea Jean qui porta machinalement son regard vers la cime.

Soudain, à la fourche d'un gros chêne, il aperçut un amas sombre qui semblait fort peu naturel. Jean tendit le bras.

— Regarde, je suis sûr que c'est ce que nous cherchons !

Non sans difficulté, les deux hommes parvinrent, l'un aidant l'autre, à se hisser jusqu'à la fourche. Jean reconnut immédiatement un baluchon, fait avec des pans de ce qui ressemblait à la couverture de son lit. Ils le descendirent à la hâte, le déchirèrent et découvrirent, mêlée au butin, la sacoche contenant les outils de verrier qu'il leur avait montrés, le soir de son arrivée.

Le coupable était démasqué.

Ils se rendirent sur-le-champ à Chinon, présenter leur trouvaille à la maréchaussée. On pendit le coupable, au grand dam de la population pour qui ce genre d'exécution était passé de mode. Puis ils regagnèrent Champigny. Jean passa informer sa belle-mère, soulagé mais encore penaud de s'être ainsi laissé berner.

— Tu es si jeune ! soupira celle-ci avec un air d'indulgence qu'il ne lui connaissait pas.

Était-ce la maternité qui la changeait à ce point ? Il n'aurait jamais soupçonné que c'était la culpabilité qui la tourmentait ainsi.

# XII

COLIN arriva en Champagne après quelques jours de chevauchée. Ce plat pays ne l'enchanta guère jusqu'à son arrivée à Reims. Dès qu'apparurent les coteaux couverts de vigne qui entouraient la ville, il éprouva le rayonnement de cette grande cité, lieu de sacre des rois. Il piqua sur la cathédrale et demanda une audience auprès du maître des Simulacres qui avait la haute main sur l'ornementation et l'entretien de l'édifice. Ils évoquèrent la vie à Reims et à Bourges, la violence qu'avaient suscitée les guerres de Religion, le soulagement apporté par l'édit de Nantes.

— La situation était sans doute plus complexe à Bourges qu'à Reims, déclara Colin, les yeux brillants à l'idée de débattre de ces matières avec un tel personnage, puisque, par le passé, la ville a été huguenote, puis catholique. Et dans ma famille, c'est la même chose ! Le pouvoir royal s'est peut-être montré trop faible devant l'Église catholique, quelques réformes et tout se serait arrangé.

Le vieil homme hocha la tête, un pli amer aux lèvres.

— Quelques réformes, je vous trouve bien modeste, parlez d'une révision totale, oui ! Les catholiques se sont enlisés dans un discours pesant, menaçant, très éloigné de l'évolution des temps. Plutôt que d'écouter la voix de la réforme que leur soufflait Luther, ils ont fanatisé leurs ouailles et choisi la violence, soupira-t-il.

— Avec la complicité du roi ? interrogea Colin.

— Hélas, je crains qu'il n'ait davantage été guidé par ses intérêts que par la parole de Dieu... Voilà en vérité de graves paroles, maître Colin, remarqua-t-il devant son visiteur, rougissant, je suis heureux qu'un compagnon profite de ses voyages pour réfléchir autant aux errements de son époque. Il se fait tard, mais allez donc visiter la cathédrale demain, au soleil levant, nous en parlerons après.

Colin le quitta, le cœur en fête. Comme ces rencontres, ces visites, sont plus exaltantes que le quotidien de Champigny, songea-t-il en occultant soigneusement le souvenir de sa femme et de l'enfant à naître. Compagnon je suis, voyageur je resterai, ouvert à l'évasion, aux découvertes, aux grandes discussions.

Il s'agita dans son lit, heureux et libre, impatient de découvrir la cathédrale.

Dès l'aube, il pénétrait dans l'édifice. Il se posta d'abord face au soleil, émerveillé par les touches de lumière qui éveillaient les couleurs des vitraux, un à un. Puis il suivit l'astre dans sa course et tourna avec lui, jusqu'à se trouver, au soir, sous le porche principal, à goûter les derniers rayons. La journée s'était déroulée sans qu'il ait senti ni la faim ni la soif.

Quelques discussions supplémentaires avec le maître des Simulacres, plusieurs autres visites de la cathédrale sous sa direction, celle des verreries de Champagne, aucun autre moment de ce périple ne put égaler le ravissement qui s'était emparé de lui, corps et âme, face aux vitraux. Il sentit que l'heure était venue de rencontrer le plus grand verrier de la région, un artiste réputé qui avait pour nom Linard Gontier.

L'angoisse de l'artisan devant son four... Colin la comprit, la ressentit presque en observant pendant des heures les différentes étapes du travail qui se déroulait devant ses yeux. Vêtus de chemises longues et fendues, un fichu épongeant la sueur de leur visage, les ouvriers se détachaient sur un enfer de flammes orange et bleu. L'espèce de boîte sans fond qu'ils portaient devant leur visage pour protéger leurs yeux de la chaleur, accentuait cet aspect d'irréalité. Le maître sculpteur ne se lassait pas de les regarder, émerveillé par leur habileté et ce miracle, sans cesse renouvelé : l'apparition de la plaque de verre, colorée et transparente. Admiratif, il essaya de récapituler les phases qui s'enchaînaient si rapidement sous les mains des hommes de l'art. Ils prélevaient la paraison, une boule de matière incandescente à l'aide d'une canne, la posaient sur l'ange et l'étiraient. En un tour de main, elle devenait une sorte de manchon, qu'on présentait un instant au four avant de le rouler et d'obtenir un cylindre parfait. Puis, en un effort presque surhumain, le souffle de l'homme s'exerçait, enflait la matière translucide en un cylindre qu'on coupait en deux avant de l'aplatir jusqu'à son aspect final, la plaque de verre.

— Comment obtient-on un si beau rouge ?

Colin ne put s'empêcher de questionner le compagnon qui avait soufflé si fort et se reposait, à l'écart des autres. Celui-ci lui expliqua comment on mélangeait le manganèse fondu aux frittes sodiques, puis devant sa perplexité, détailla la composition de ces frittes sodiques, alliage de sable, de soude et de magnésie noire qu'on chauffait pendant six heures avant de le verser dans l'eau froide et qui donnait des billes de verre qu'on réchauffait à nouveau avant de les réduire en poudre. Colin écoutait, fasciné par ces termes étranges, ces préparations mystérieuses qui ravivaient sa soif d'apprendre. Une pièce nouvelle, inconnue, se jouait devant ses yeux et il en détaillait les acteurs : huit compagnons, répartis en deux cueilleurs préposés au four, trois bossiers pour souffler et manipuler le verre, trois ouvriers moins qualifiés pour les autres besognes. Colin les suivit dans la pièce attenante où l'on assemblait les morceaux de verre refroidis pour composer les vitraux.

— Que de couleurs ! s'exclama-t-il devant les teintes chatoyantes qui s'étalaient dans les plaques de verre. Comment faites-vous pour les assembler en ces beaux dessins qu'on voit dans les cathédrales ?

— On découpe le verre selon un patron, lui répondit le contremaître, sans un sourire pour le compliment. Le peintre passe dessus, à l'aide d'un blaireau et en couche légère, une sorte de liqueur de verre qu'on appelle de la grisaille. Vient ensuite le putoisage.

— Qu'est-ce ?

— On applique une brosse dure en poil de putois sur la surface enduite de manière à former une multitude de petits grains. Ensuite à l'aide d'un stylet en os ou d'un manche de pinceau, on enlève de la matière pour former le dessin. Puis on cuit une dernière fois.

Malgré sa timidité, Colin réussit à se faire inviter par Linard Gontier. Il avait utilisé le premier la grisaille. Le sculpteur avait tant à demander, une soirée n'y suffirait pas.

— Votre pâte de verre, commença-t-il tout de go, vous la fabriquez avec du sable, des cendres de bois, des sels minéraux, de la chaux, et vous y adjoignez des colorants d'oxydes métalliques ?

— Tout juste, mais ce que vous ignorez, c'est que le résultat change selon le bois qu'on emploie. Ici, nous avons des hêtres, en Camargue et en Languedoc de la salicorne, dans le Luberon des chênes verts. Chaque région, chaque verrier, presque, joue sur une palette de couleurs spécifique. Vous devriez lire le traité écrit au

XIIe siècle par le moine Théophile ! C'est l'ouvrage le plus important qui existe sur notre métier, il nous sert de guide aujourd'hui. Hélas ! cela n'est plus guère utile !

— Vous manquez de commandes ? frémit Colin.

— La conception du vitrail a changé, plutôt, expliqua l'autre, la mine sombre. Les personnages, les décors dessinés ont pris de l'importance, ce ne sont plus qu'architecture à l'antique et colonnes. L'influence italienne, il paraît. Ah ! il est loin le chatoiement des couleurs du XIe et XIIe siècle, qui offrait au regard un monde différent !

— Il faut vous adapter au goût du temps.

— Vous ne croyez pas si bien dire, acquiesça le contremaître. Les hommes ne peuvent se passer du verre, ce n'est pas moi qui l'ai dit, mais Antonio Neri, en 1612. Mais je crains que, en multipliant les traits, on ne perde cette ambiance mystique qui vous saisissait dès l'entrée dans l'église. Voyez seulement la différence, la lumière blanche éblouit, alors que celle d'un vitrail vous entoure et vous plonge en vous-même...

Il baissa la voix et Colin se tut, méditant ses paroles. Il se félicitait d'avoir rencontré un homme aussi talentueux que disert, capable de transmettre à un autre artisan l'essence de son travail. De plus le maître verrier était un gentilhomme qui possédait une baronnie entre Reims et Troyes, Charles VI ayant ouvert aux nobles le métier du verre sans qu'ils perdent ni leur titre ni leurs prérogatives pour autant. Cet art de prestidigitateur, de maître du feu, auréolait ceux qui l'exerçaient d'un pouvoir presque surnaturel.

A Troyes, Colin décida d'user de ses droits d'ancien et de loger à la cayenne. Il aimait rencontrer d'autres compagnons plus jeunes que lui, les faire profiter de son expérience, leur narrer les aventures qui avaient émaillé ses nombreux périples. Ils riaient, s'exclamaient, l'interrogeaient en se coupant la parole, et Colin se sentait utile, reconnu par ses pairs, indispensable à leur évolution et à leur découverte du métier. Jamais avec sa femme ou même son fils, il n'éprouvait de jouissances comparables. Souvent, aussi, les conversations roulaient sur d'autres sujets, plus préoccupants. On parlait de la guerre que le roi Louis XIII livrait aux Habsbourg à l'instigation de Richelieu, inquiet des succès remportés par les princes impériaux lors de leur victoire éclatante contre les Suédois. Leur puissance nouvelle faisait de l'ombre à la France. Les nouvelles n'étaient guère réconfortantes, à cet égard. Parfois, on voyait passer les colonnes armées sur la route qui remontait vers l'Allemagne.

Il discourait un soir quand il reconnut, à son sourire, Simon qui écoutait dans un coin. Après un topage en règle, les deux hommes tombèrent dans les bras l'un de l'autre, des bouffées de souvenirs berrichons leur réchauffant le cœur et la mémoire. Colin riait, tout à la joie des retrouvailles, pleurait aussi. C'était Simon qui avait conduit Jean à Champigny, qui l'avait aidé à oublier l'image de Colombe et de son enfant, tragiquement disparus. Il était si malheureux, si désespéré à l'époque ! La simple vision d'une femme portant un enfant lui était insupportable...

Soudain, il pensa à sa jeune femme, à sa jalousie, à la dureté aussi qu'il lui avait témoignée. Puisque lui-même avait été jaloux en voyant se continuer la vie après la mort de sa famille, combien sa femme devait ressentir le même sentiment en le voyant encore attaché à ses souvenirs ! L'espace d'un instant, il eut très fort envie de la retrouver.

— Raconte-moi, dit Simon, j'ai appris que tu t'étais remarié, que tu vivais proche de ton beau-fils...

— Jean ! s'exclama Colin, quel cadeau tu m'as offert en me l'amenant, j'ai fait de lui un compagnon émérite, il a le geste sûr et...

— Mais ta femme, le coupa l'autre, surpris.

— Elle s'appelle Anne, reprit Colin avec un air contrit. Nous nous sommes mariés au retour d'un séjour que j'avais effectué chez mes parents avec Jean. Je travaille avec mon fils au château du cardinal, mais j'habite à Champigny, comme lui. D'ailleurs, il est devenu meilleur que moi !

— Quelle drôle d'idée d'être resté dans la ville où tu as vécu avec Colombe, murmura l'autre.

— Ma femme est très contente, protesta Colin, elle s'entend très bien avec Jean.

— Et toi, es-tu heureux ? interrogea Simon, les yeux plantés dans ceux de son ami.

— Pourquoi me le demandes-tu ? riposta le maître sculpteur, soudain sur ses gardes.

— Tu ne me parles que de toi et de ton fils, jamais de ta femme ! Te connaissant, j'imagine qu'elle a du courage de vivre avec toi. D'autant que tu n'es guère présent au logis, à ce qu'il me semble.

Colin baissa la tête.

— Ami, tu dis vrai, et je me reproche mes voyages. Mais je ne puis m'en empêcher, même si je sais qu'elle s'ennuie quand je suis loin, comme l'hiver dernier que j'ai passé à Paris.

— Et malgré cela, tu viens de repartir une nouvelle fois ! s'indigna Simon.

— Que veux-tu, pour moi les femmes sont des piliers. On leur demande d'être solides, résistantes et... honnêtes, conclut Colin après une légère hésitation.

— Que d'exigences ! plaisanta l'autre. Qu'arrive-t-il si elles se montrent moins parfaites, fragiles, légères...

— On les rejette, assena Colin, la mine farouche. J'ai des exemples dans ma famille. Ainsi, cette cousine qui est allée vivre au Puy, après qu'un séducteur l'avait violée dans les bois.

— Un viol ? A ma connaissance, ce genre de chose se pratique contre la volonté de la victime...

— Oui, mais elle, comment te dire, elle avait apprécié... Quelques semaines plus tard, elle a quitté sa famille pour s'enfuir retrouver son suborneur.

Simon hocha la tête, perplexe. Pourquoi son ami lui racontait-il cette histoire ? Il pressentit une mésentente entre les époux, mais désireux de laisser Colin choisir le temps des confidences, lui proposa de l'emmener visiter les verrières de Troyes.

— Comme ça, tu oublieras tes ennuis, risqua-t-il devant la mine préoccupée de son ami.

— Puisses-tu dire vrai ! soupira ce dernier. D'autant qu'Anne attend un enfant...

— De toi ? lança Simon en se mordant les lèvres devant cette question qui avait fusé sans qu'il puisse se retenir.

— Bien sûr, pourquoi ce doute ? interrogea Colin, soupçonneux.

— Pardonne-moi, mais c'est ton attitude, tu as tellement l'air de fuir. Enfin, je suis très heureux pour toi, tu verras, un enfant, cela soude un ménage mieux que n'importe quel serment.

— Jean est très heureux, s'empressa d'ajouter le futur père.

— Laisse-le tranquille, grogna Simon, c'est ta femme qui compte pour l'instant.

Colin ne répondit pas.

Ils passèrent un séjour délicieux à visiter les réalisations des maîtres verriers de la cathédrale Saint-Pierre-Saint-Paul, des églises Saint-Nizier et Saint-Martin, fleurons de cette ville enrichie par le commerce du drap, où les habitants reconnaissants envers Dieu de leur avoir donné la prospérité multipliaient leurs dons et leurs deniers à l'intention des évêques. Colin s'enthousiasmait, posait mille questions au compagnon qui les guidait dans leurs visites, soulagé d'être avec son ami Simon, oublieux du nuage qui avait obscurci leur relation.

— Pourquoi trouve-t-on la même intensité de lumière dans tous les côtés des cathédrales ? s'extasia-t-il en pénétrant dans Saint-Nizier. Le soleil ne peut être partout !

— Non, c'est pourquoi on ne place pas la même qualité de verre partout. Selon l'exposition, à l'orient ou à l'occident, on passe plus ou moins de grisaille sur le dessin. Ou on rend le matériau plus transparent. On a ainsi changé le mélange pour rendre le verre moins glauque. C'est important si l'on veut mettre en valeur les grands personnages qui figurent généralement au centre du vitrail.

— Il doit être délicat de les réparer, observa Colin.

— Oui, surtout quand on les démonte. On risque de les briser en desserrant les clavettes qui retiennent les barlotières. Mais je vous assomme avec tout ce jargon, s'excusa-t-il. Si vous me parliez de vos pierres, je serais perdu, moi aussi.

— Pas du tout, rétorqua Colin, le sourire éclatant. Nous sculptons ce que vous éclairerez par la suite. Il nous importe de connaître les mystères de votre art. Ici, j'en oublie presque d'admirer la statuaire tant je suis ébloui par le verre.

L'autre se rengorgea, mais dut malheureusement les quitter. Il se faisait tard et sa maison l'appelait. Colin le vit partir avec regret. Il aurait parlé des heures encore du métier, de cette passion qui vous ployait l'échine sur un morceau de matière, qui vous faisait tout oublier des soucis quotidiens, des doutes, des difficultés qu'il y avait à comprendre ceux qui vous entouraient et avec qui on se trouvait parfois si mal.

# XIII

Un soir, Simon sentit que le moment était venu de parler à Colin. Ils marchaient dans les vieilles rues de Troyes, attentifs à l'architecture, aux sculptures des bâtiments, émus, troublés par cette connivence qui les faisait se comprendre sans avoir besoin de se parler. Ils s'arrêtèrent devant l'abbaye de Saint-Loup.

— J'aime ces bâtiments sacrés qui accueillent les religieux et les fidèles dans le culte de Dieu, commença Colin, pensif. Pourquoi prie-t-on mieux ici ?

— Aucune idée, je suis sans doute plus matérialiste que toi, répondit l'autre d'un ton léger. Dis-moi, j'aimerais bien connaître ta femme !

Colin sursauta, surpris par la demande.

— Elle est très différente de Colombe, balbutia-t-il.

— Tant mieux, plaisanta Simon. Penses-tu qu'elle me plaira ?

— Je ne sais pas, répondit Colin, les traits brusquement altérés.

— Quelle gravité, détends-toi un peu, mon ami, le réprimanda l'autre avant de faire volte-face brutalement.

Deux hommes se précipitaient sur eux, deux individus qui les suivaient depuis un certain temps. La lutte fut acharnée, les deux compagnons se défendant de leur mieux, quand Simon trébucha sur une racine de pin. L'un des malandrins s'abattit sur lui et, l'empoignant aux cheveux, lui cogna la tête à plusieurs reprises contre le sol. Colin voulut bondir pour lui venir en aide, mais l'autre lui avait saisi le bras et le lui tordait dans le dos. Une douleur fulgurante le déchira jusqu'à lui faire perdre connaissance. Par bonheur, le bruit de la rixe avait alerté les religieux. Les agresseurs s'enfuirent, poursuivis par les novices, tandis qu'on conduisait les deux amis à l'abri de l'abbaye. Le visage de Simon, tuméfié, ensanglanté, faisait peine à voir. Malgré la douleur qui lui cisaillait le bras, Colin s'émut du masque qui déformait les traits de son ami.

— Colin, je vais mourir, je le sens, murmura Simon dès qu'ils furent couchés dans l'infirmerie.

— C'est tout ce sang qui te fait peur, laisse-toi soigner, tu reprendras vite des forces, mon ami, balbutia Colin.

Le blessé hocha la tête.

— Je vais mourir, qu'importe ! Et toi-même, es-tu blessé ?

— J'ai le bras gauche brisé, mais il suffira d'y placer une attelle, répondit le sculpteur d'un ton rassurant.

— Approche-toi, lâcha l'autre dans un souffle, et écoute ce que j'ai à te dire. Tu te rappelles ce que tu me disais à propos de ta femme, tes doutes ? Regarde comme la vie peut nous être enlevée quand on s'y attend le moins !

Il leva la main en direction de son compagnon.

— Il ne faut pas rendre les autres malheureux et se rendre soi-même malheureux, quand on peut partir d'un moment à l'autre. Dis-moi que tu vas rentrer auprès de ta femme.

— Je te le promets, déclara Colin, la voix brisée.

— Mais pas tout de suite, j'ai une autre requête à formuler. Un voyage, je crains toutefois que celui-ci ne soit bien pénible.

— Parle, de qui s'agit-il ? demanda Colin en se faisant la réflexion qu'il connaissait bien mal la vie privée de son ami.

Et Simon se mit à parler, à raconter, les yeux brillants, avec l'excitation fiévreuse de l'homme qui va perdre la vie, son amie, cette belle plante de Provence qu'il avait rencontrée au détour d'un chantier, cette magicienne de la garrigue qui habitait une terre d'enchantements, une contrée rieuse, qui vivait au rythme entraînant des tambours, des fifres et des trompettes. Elle élevait sa fille seule, et lui avait donné son cœur d'amante dans un paysage de rêve. Simon la racontait dans ses paroles et les larmes coulaient sur son visage tandis qu'il évoquait les moissons en octobre, les vibrations du sol que martelaient les milliers de sabots des bêtes qui descendaient pour l'hivernage, cette symphonie que composaient les clarines des chèvres, les *picouns* des moutons, les sonnailles des brebis et les *tabassouns*, ces cloches rondes pendues au cou des vaches.

— Quarante cloches par troupeau, tu imagines le concert, s'esclaffait-il.

Et il continuait à parler, à raconter les bergers qui conduisaient les troupeaux, à les décrire avec leur longue chemise, leur culotte de drap et leurs chaussures fourrées. Assis à son chevet, Colin fermait les yeux, pris malgré lui par la douceur des paysages qu'éveillaient dans son esprit les paroles de son ami, les tendres couleurs gris-vert des feuilles d'olivier, le vert acide de la vigne de printemps, la lumière qui baignait les collines. Simon disait les villages perchés au-dessus de la plaine d'Apt, au cœur du Vaucluse, les maisons en pierre couvertes de tuiles rondes qu'on moule sur les cuisses des femmes, les plantes, les arbres, les arbousiers, les yeuses et les sapins, les cigales cachées et partout présentes. Simon décrivit la maison de son amie, à Ménerbes.

Elle se situait en dessous du village, au creux d'un vallon où coulait l'Imargue, affluent du Cavalon. Colin verrait d'abord un bois de chênes verts, de pins et de hêtres, puis un pigeonnier carré, et enfin, au bout d'une allée bordée d'iris multicolores, une maison coiffée d'un toit de tuiles roses, un havre de gaieté d'où jaillirait un chant... Il riait en évoquant les deux bories dont l'une avait le sol creusé afin que le berger puisse s'y tenir debout, l'autre abritant les moutons.

La voix de Simon tremblait quand il évoquait ces chers souvenirs, la beauté des *restanques* plantées de romarin, de lavande, de santoniles, quand il détaillait avec des mots de poète les scabieuses bleu-mauve, les lis blancs ou jaunes, les coquelicots qui frémissaient sous le vent. A l'écouter, Colin humait la rosée du matin dans le frais vallon, le parfum de la lavande. Il soupirait après les cigales des heures chaudes, il s'aventurait dans les bois, pour creuser sous les chênes et y découvrir des truffes, ces *rabasses* aux succulentes saveurs.

Quand Simon s'interrompit, il vit dans les yeux de son ami les couleurs qu'il avait évoquées, un paradis d'images qui ne demandaient qu'à s'éveiller.

— Pourquoi as-tu quitté un endroit si merveilleux? demanda seulement Colin.

— Ah l'aventure! Ce démon des hommes qui les pousse à oublier ce qu'ils ont de plus cher pour le découvrir enfin, à l'article de la mort! J'ai fait comme toi, Colin, j'ai fui le bonheur qui s'offrait, et je le regrette si fort maintenant. Enfin, tu lui donneras cette bague, elle pourra en tirer une petite somme, puis cette bourse aussi.

— Je te le promets, répéta Colin, très ému. Voici le médecin, il va te soigner.

Le praticien examina le blessé. La fracture des os frontaux était d'un pronostic fâcheux. Le pariétal droit qui s'était fracassé contre les pierres du chemin laissait apparaître une béance où l'on distinguait le cerveau. Le médecin et son aide décidèrent de soulever la partie enfoncée de l'os, qui appuyait sur le lobe, et de le remettre ainsi en place. On abreuva Simon d'alcool et de jus de pavot, puis on procéda à l'opération. Saoulé et maintenu par quatre hommes, Simon s'évanouit. Quand il se réveilla, le prêtre était à son chevet pour les derniers sacrements. Le couteau du chirurgien-barbier avait infecté la plaie, sans qu'on puisse y remédier. Quand il vit son ami grimacer sous l'effet de la douleur, Colin exigea qu'on lui administre de l'opium pour le soulager. Il le veilla toute la nuit, frappé par la ferveur qui avait animé ses derniers propos, par la passion avec laquelle il avait fait revivre la femme et la terre qu'il aimait. Colin admirait Simon et il s'en voulait d'avoir été, indirectement, la cause de sa mort. S'il n'avait pas laissé transparaître son désarroi personnel, s'il n'avait pas proposé à son ami de l'accompagner dans ses visites aux verrières, Simon n'aurait pas été agressé. Le religieux qui avait veillé le mourant avec lui tenta en vain d'apaiser ses scrupules.

Simon mourut dans la matinée. Il remua ses lèvres sans bruit, l'œil suppliant. Colin lui étreignit la main, écrasé par une tristesse infinie. Il perdait un ami de jeunesse, un des maillons qui le rattachaient à son passé, à ces heures sombres où il avait eu besoin d'aide. Simon l'avait sauvé de la mort et du désespoir, mais lui n'avait rien pu faire pour le garder en vie. Puisque son ami n'avait pas de famille, Colin demanda aux moines de l'ensevelir dans le cimetière communal de la ville. Il batailla pour obtenir qu'on laissât une pierre plate et sans ornement sur le dessus du tombeau. Il reviendrait y sculpter un motif en bas-relief en hommage au talent du disparu.

Une autre mission l'appelait. Il fit consolider ses attelles à l'aide d'un nouveau bandage, s'assura que son bras ne le gênerait pas et après avoir fait prévenir Anne de son retard, sans toutefois lui en préciser les raisons, il prit la route.

## XIV

COLIN dut différer son projet de voyage dans le Sud. Son bras le faisait trop souffrir, puis, disparue l'image de Simon sur son lit de mort, il ressentait moins le besoin d'aller visiter sa veuve. Bah! soignons-nous d'abord, ce sera plus sain pour tout le monde, jugea-t-il en se dirigeant vers le couvent des calvairiennes de Chinon sur la route de Champigny. Il salua au passage les cathédrales d'Orléans, puis de Bourges, respira mieux quand il atteignit la Loire.

Il fut accueilli avec joie et compassion dans le couvent où le son de la cloche baptisée Colombe résonnait toujours depuis le clocher de Saint-Maurice. Il se laissa soigner et dorloter avec soulagement. Ses hôtesses décidèrent de le garder un jour ou deux afin qu'il se repose et firent avertir chez lui. Le lendemain, dans l'après-midi, quelle ne fut pas sa surprise de voir apparaître sa femme et son fils! Anne et Jean n'avaient pas eu la patience d'attendre.

Colin les regarda, bouleversé. La démarche d'Anne, son port de tête, tout indiquait son état de future mère, fière de l'enfant qu'elle portait.

— Ma mie, balbutia-t-il, je suis confus de t'accueillir si mal... Viens t'asseoir près de moi. Comment vas-tu?

— Fort bien, je suis si heureuse! Ce sera un garçon, j'en suis sûre...

Anne prit place au bord du lit. Jean, par discrétion, les laissa en tête à tête, puis revint les trouver.

— Entre, lui lança Colin, j'ai tant à vous dire ! Si vous saviez combien de merveilles j'ai vues derrière ces vitraux ! C'est un beau travail que celui de maître verrier !

Jean le regarda avec surprise.

— Vous reniez la pierre ?

— Ne t'inquiète pas, je n'oublierai jamais la joie que procurent les coups du ciseau sur un morceau de pierre ainsi que le plaisir qu'on prend à mouler en terre les formes qu'on sculptera ensuite. Mais la lumière qui s'anime au passage du vitrail est tellement belle !

— Je vais regarder les vitraux d'un œil nouveau ! s'exclama Anne, sur un ton joyeux.

— Je suis certain que leurs couleurs t'enchanteront, ma mie, surtout quand je t'aurai expliqué comment on les obtient. En fait, il y a bien longtemps que les anciens se servaient du verre pour clore les ouvertures... commença-t-il, sur un ton animé.

Une religieuse intervint.

— En voilà assez, dit-elle d'une voix grondeuse. Vous êtes blessé, il faut vous reposer.

Les visiteurs se retirèrent à regret. Quand ils furent dans le cloître, la religieuse insista sur l'état d'épuisement du blessé. Elle s'étonna même qu'il ait pu entreprendre un tel voyage.

— Moi qui le connais bien, cela ne me surprend pas, rétorqua Jean. Je suis seulement heureux qu'il ait pensé à s'arrêter ici.

— Vous qui le connaissez, vous devez bien savoir qu'il préférera revenir chez vous, à cheval, en pleine forme, sourit la sainte femme.

— Que pouvons-nous faire ? grimaça Anne, inquiète d'être séparée de son mari à peine l'avait-elle retrouvé. Nous sommes venus en barque, vous savez...

— Pourquoi ne séjourneriez-vous pas parmi nous? proposa leur hôtesse. Vous partagerez notre repas au réfectoire et nous vous trouverons bien une chambre. Ce sera votre mari qui sera heureux!

Pour la première nuit, Jean resta dormir au couvent, dans une cellule réservée aux hôtes de son sexe.

Anne sentit un grand apaisement l'envahir dans la pièce étroite et austère, aux murs blanchis à la chaux, à l'ameublement succinct, composé d'un lit étroit, d'une table, d'une chaise et d'un prie-Dieu placé devant un crucifix. Elle s'endormit avec l'impression d'aborder enfin sur une rive calme. Au matin, elle s'approcha de la fenêtre et sourit devant la scène idyllique qui s'offrait à ses yeux. Le couvent était petit mais harmonieux et les arcades du cloître entouraient gracieusement un jardin où s'épanouissaient toutes les fleurs de printemps, myosotis, paquerettes et renoncules. Les carrés de buis retenaient des rosiers aux boutons prometteurs. Les silhouettes des saintes femmes passaient dans les allées, pressées, sûres de leur chemin comme des fourmis à leur travail.

Oui, songea la jeune femme, le monde serait désormais à leur image, calme et serein. Ils repartirent le lendemain pour attendre le blessé chez lui.

Le soir de l'arrivée de Colin à Champigny, Anne se tenait sur le pas de la porte, entourée des primevères qui s'étaient multipliées dans le jardin. Elle se porta à sa rencontre dès qu'elle le vit, mais cette fois Colin n'en prit pas ombrage. Il descendit de sa monture et la pressa dans ses bras.

— Ma mie, oublions tout ce qui s'est passé, j'ai beaucoup réfléchi ces derniers jours...

Anne l'embrassa pour l'empêcher de poursuivre. Leurs retrouvailles furent douces.

Colin ne pouvant reprendre son travail avant quelques semaines à cause de son bras, il décida d'emmener sa femme en visite et fit aménager une carriole pour eux deux. Ils virent ensemble des châteaux, de belles demeures dont il lui détaillait patiemment les prouesses architecturales, il lui parla beaucoup, surtout, de sa nouvelle passion, ces vitraux qu'il avait admirés pendant son voyage. La matière, les couleurs, le soufflage, Anne qui n'avait accordé jusqu'ici qu'un intérêt limité aux réalisations de son mari, sentit la curiosité l'envahir à son tour.

Sa grossesse se déroulait au mieux, dans les flamboyances d'un été somptueux qui flattait les glaïeuls élancés, les tagètes orange à l'odeur âcre, les roses d'outremer qu'on appelait aussi roses trémières et qui égayaient les murs du village. Sous la tonnelle parfumée des effluves du chèvrefeuille, les soirées passaient, l'une après l'autre, sereines. Lorsque la jeune femme, alourdie au bras de son mari, faisait le tour du jardin, celui-ci s'empressait de cueillir la plus belle rose pour que la nuit leur en restituât l'odeur pendant leur sommeil.

La notoriété du maître sculpteur s'était étendue pendant son absence, ce qui faisait affluer les commandes. Dès qu'il fut guéri, Colin s'empressa de les honorer, et, fort de sa réussite, se mit à vivre en bourgeois. Il possédait plusieurs chemises avec poches rapportées et, pour les fêtes, ajustait son pourpoint bleu à ses chausses par des aiguillettes en peau de chien. C'était la seule fantaisie qu'il se permettait, son habit restant sobre de forme et couleur bœuf fumé. Il avait rapporté de la capitale des bottines ouvragées, dont il était fort content. Anne lui trouvait un air parisien bien plaisant, mais cela ne l'incitait pas à raffiner sa mise qui restait simple, en raison de son état.

Ses chemises blanches étaient modestes, son corps de cotte, le plus souvent bleu, ne la sanglait pas et, depuis quelque temps, elle sacrifiait à la mode des *calessons*. Sa seule coquetterie résidait dans ses chausses, des souliers de cuir que Colin lui avait rapportés de la capitale et dont elle se montrait très fière. Colin lui avait aussi offert des pantoufles en velours cramoisi, mais elle n'osait les porter, de crainte de les user.

— Tu me parais bien sage, lui reprochait-il.

— Dis plutôt que ce sont les Parisiens qui sont fous, à inventer sans cesse de nouvelles extravagances !

— Tu ne crois pas si bien dire ! Ils se parfument et, quand ils veulent s'embellir davantage, ils revêtent des perruques. Les plus chères sont en vrais cheveux, bien sûr, mais on en fabrique aussi avec des crins de cheval, de veau ou de génisse, avec du poil de chèvre même ! Et je ne parle pas de la poudre qu'ils répandent dessus.

Anne fut choquée.

— Je trouve ces procédés malhonnêtes et trompeurs.

— Peut-être, commenta Colin avec un air rêveur qui intrigua sa jeune épouse. Je t'assure que Mme d'Aguesseau répandait dans son sillage un parfum d'iris des plus agréable. Qui sait s'il ne m'a pas inspiré dans mon travail ?

La jeune femme, rassurée, lui adressa un sourire malicieux.

— A fréquenter les nobles demeures, tu vas avoir des idées de grandeur plein la tête !

Elle ne croyait pas si bien dire. Après avoir apprécié un temps la paix de ce logis, si radieux sous son soleil d'été, après avoir goûté ces longues promenades le long des sentiers caressés par les brises tièdes, Colin sentit le démon du voyage le tourmenter à nouveau. Voyons, se raisonnait-il, Anne accouche bientôt et je ne songe qu'à m'en aller, attendons un peu.

Mais le besoin ne s'apaisait pas, se faisant chaque jour plus violent, le réveillant la nuit aux côtés de la jeune mère qui dormait paisiblement, inconsciente des folles pensées qui tournaient dans la tête du futur père.

Il repensait à la promesse faite à Simon. Plus tard, avec la naissance de l'enfant, je n'en aurais plus le loisir, songea-t-il, en une illumination subite !

Il réveilla sa femme et lui annonça son départ pour le lendemain. S'il faisait vite, il serait rentré bien avant la naissance de l'enfant, lui précisa-t-il sans écouter sa réponse. Il était déjà parti.

# XV

COLIN chevaucha des journées entières, en direction de Moulins tout d'abord, puis vers la plaine du Rhône qu'il descendit jusqu'à Avignon. Lorsqu'il aborda enfin la montagne du Luberon, il fut séduit par la beauté du paysage, par la pureté d'une fin d'après-midi le long de la Durance. Les eaux très hautes luisaient doucement tandis que le soleil couchant dorait les rochers, avivant les coloris, le vert sombre des chênes, le vert gris des conifères, le rouge ocre des roches. Colin avançait lentement, subjugué par cette nature qui déroulait pour lui sa palette de teintes et de formes, ces rochers gigantesques qui se dressaient le long de son chemin, géants emplis de bienveillance.

Colin s'était fait un compagnon, un certain Guillaume, rencontré en Avignon, un garçon qui parlait avec du soleil dans la voix. Ils avaient conversé et, très vite, le garçon lui avait proposé de l'emmener visiter des fours de verrier, en particulier ceux d'une bastide dont il connaissait les habitants.

— Mais ton travail ? s'était inquiété Colin.

— Tout va bien, avait répondu l'autre dans un large sourire, je suis musicien et j'aime mon pays. Mon travail, c'est de te le faire connaître.

Colin s'était incliné. Ses pérégrinations de compagnon

ne lui avaient que trop enseigné les vertus des rencontres, de ces destins qui se croisent pour le meilleur... ou pour le pire.

Le jour finissait quand ils parvinrent dans la Plane Sainte-Marguerite sur les terres du seigneur de Puget, Louis de Meillon-Bressieux, baron de Lauris. Ils passèrent la nuit dans une bergerie proche du corps de logis de la seigneurie de Puget, un abri enfoui au creux des bois et construit en tapi, une terre battue qu'on obtenait à partir de l'argile. Colin et Guillaume trouvèrent dans la bâtisse deux autres voyageurs, deux frères dont l'un avait les cheveux rouges, l'autre le teint et le poil très noirs. Ils habitaient le Luberon et ne tardèrent pas à se répandre en louanges sur leur seigneur qui leur avait octroyé des terres, du côté de Ménerbes.

— Tiens, tressaillit Colin, j'ai rencontré un homme dont l'amie vivait dans un vallon, non loin du village, près d'un pigeonnier...

— Que lui veux-tu ? interrogea le rouquin d'un air méfiant.

— J'ai quelque chose à lui remettre ainsi qu'à sa fille, bredouilla Colin, très troublé d'être traité comme un vagabond.

— Quel est le nom de cet homme ? poursuivit l'autre.

— Simon, un maître verrier. Il m'a tellement vanté ce beau pays que j'ai eu envie de le connaître, ajouta Colin pour détendre l'atmosphère.

L'autre se rasséréna et leva la main pour lui signifier qu'il n'était plus besoin de compliments.

— Je le connais et je l'estime. Ne crains rien, tu seras bien reçu par tout le pays. Sauf par cette amie. La malheureuse a péri dans un incendie le mois dernier. Heureusement, sa fille est sauve.

— Peut-on lui remettre cela ? demanda Colin en sortant le mouchoir dans lequel il avait déposé la bague et la bourse. Je n'irai pas à Ménerbes.

L'homme acquiesça et se lança dans un propos animé sur les heures sombres de la région, déchirée par la guerre entre les catholiques et les protestants, cette hérésie des vaudois qui se sentaient plus proches des huguenots que de la religion du roi et qui n'avaient pas peur de le faire savoir, par les armes s'il le fallait.

— D'où le savez-vous? questionna Colin.

— Notre mémoire transmet les malheurs, c'est une grande vertu des conteurs, ces fameux troubadours, très nombreux dans la région. Ils ont raconté les massacres des vaudois à Merindol par Meynier d'Oppeide, les heures sombres du tribunal d'inquisition et de son président, Jean de Roma. Enfin, tout cela est derrière nous, soupira l'homme roux, l'édit de Nantes a, par bonheur, calmé les passions.

A l'évocation de ces souffrances, l'atmosphère s'était assombrie entre les quatre compagnons.

— La nature nous a aidés à panser nos plaies, ajouta le rouquin, elle a couvert les ruines de végétation et de fleurs, elle a effacé les traces de violence. Seule la forêt en garde la mémoire. Les protestants traqués y trouvaient refuge et, pour subsister, ils coupaient des arbres.

— Tu oublies de dire que ce ne sont pas eux les plus fautifs, renchérit son frère, les verriers et leurs coupes claires ont dévasté nos forêts. On a dû créer des bois de *deffens* même contre les propriétaires. Tenez, vous qui vous intéressez à leur art, reprit-il en se tournant vers Colin, il faut que vous sachiez qu'ils ont eu du mal à se faire accepter dans la région pour cette raison. On les a longtemps obligés à des installations provisoires, pour être bien sûrs qu'ils n'allaient pas raser le même coin du bois!

Colin les écoutait, respectueux. Par-delà leurs destins personnels, il sentait chez ces hommes un amour profond de leur métier, un respect sincère des fruits de la terre. Il se coucha très tard, calme, empli d'une certitude dont il ignorait encore la teneur.

Dès son réveil, il sentit plus qu'il ne vit qu'il se trouvait loin de chez lui. En Touraine, le vent était sage. Ici, celui de l'aube courait sur le sol, s'engouffrait dans les buissons, nettoyait les chênes et faisait bruire les cistes comme s'ils étaient taillés dans du parchemin. Les odeurs aussi étaient différentes. Près des rivières du Berri, de la Touraine, l'air sentait l'eau, l'herbe mouillée et les plantes du marais. Ici dominaient les senteurs d'herbes sèches et de bois cuit par le soleil.

Colin sortit de la bergerie, fit quelques pas dans la cour. Il observa les montagnes, derrière lesquelles passaient des nuages, très rapides. Ce pays le fascinait, différent, attirant comme une terre vierge à défricher. A Champigny, tout était équilibré, organisé, chaque élément du paysage jouait un rôle dans l'ensemble. Ici, au contraire, foisonnaient les visions contrastées, les vestiges d'incendies, les herbes folles et les arbrisseaux torturés, les fermes et les bergeries, les montagnes qui s'élevaient, comme mues par un caprice. Une terre habitée et une contrée sauvage et désolée s'entremêlaient en un ensemble déroutant.

Il s'engagea sur un sentier, foulant l'herbe verte de ce début de printemps. L'odeur de la menthe sauvage rencontrait celle du romarin en des effluves délicieux. Il se baissa pour cueillir les herbes précieuses, suspendit son geste. Sans épouse pour en partager la saveur avec lui, ces merveilles perdaient leur raison d'être.

Colin ressentit brusquement le besoin violent d'avoir sa femme auprès de lui, son enfant, aussi, ce petit qui allait naître. Pourquoi ne choisiraient-ils pas cette terre nouvelle pour y recommencer une vie de famille ?

Il continua à marcher tout en forgeant mentalement le projet. La place ne manquait pas, commença-t-il, du fait des violences de l'histoire. Il admirait la vaillance des habitants, ces esprits forts qui s'étaient donnés à leur foi, au point d'en perdre la vie. Ils semblaient courageux, capables de rebâtir sur les ruines et de recommencer toujours. Ne sentait-il pas remonter en lui l'esprit de ses ancêtres huguenots ? Anne aimerait cette région.

Il rentra à la bergerie d'un pas joyeux. Ses compagnons venaient de se réveiller. Après un solide repas de pain trempé dans la soupe de la veille, ils se séparèrent. Les deux frères se dirigèrent vers la montagne du Pied-de-l'Aigle d'où ils devaient ensuite redescendre sur la plaine au nord du Luberon, Guillaume et Colin piquèrent vers le sud.

— N'es-tu pas fatigué de courir ainsi sur les routes ? interrogea Guillaume, subitement.

— Non, se défendit Colin qui pensait tout le contraire. Je laisse derrière moi une femme, mon fils, au moins, je sais qu'on m'attend.

— Tu as de la chance, soupira le garçon. Moi, je vis seul. Je suis orphelin, la femme qui m'a élevée est morte, je donne tout mon amour à la musique, désormais. Les notes me tiennent lieu de famille, mon violon, d'amante... et de gagne-pain.

— Où te produis-tu ? demanda Colin, touché par cette franchise.

— Partout où l'on me demande, répondit l'autre d'un ton jovial. Dans les noces, les fêtes de village. Les occasions ne manquent pas ! Pourtant, le moment que je préfère est celui où je joue seul, le soir, dans la nature, quand les notes montent vers le ciel et les étoiles.

— Tu es un poète, je t'envie.

— Ton œuvre est bien plus utile, rétorqua le garçon. On admirera tes sculptures pendant des siècles quand on aura oublié mes mélodies. Et tu n'as pas encore vu les vitraux, conclut-il d'un air mystérieux.

Ils étaient arrivés au sommet d'une colline d'où l'on dominait une immense plaine, limitée par les hauteurs de Trévaresse, traversée par la Durance. Le temps était clair et l'on apercevait l'abbaye de Sylvacane, le long du cours d'eau.

— Sais-tu que les habitants du village de Puget disputent aux moines le droit sur les forêts longeant la rivière ? lança Guillaume qui avait l'air de bien connaître la région.

— Les cisterciens seraient-ils moins modestes qu'on ne le dit ?

— La terre est pauvre ici, le soleil et l'eau de la rivière ne suffisent pas à nourrir tout le monde. Les prières n'y peuvent rien, ajouta-t-il avec un petit rire.

Tout en devisant, ils étaient arrivés devant la bastide de la Verrerie. Les bâtiments, répartis autour de deux cours, étaient faits de ce calcaire coquillier qui manquait de solidité mais possédait le charme des matériaux éprouvés par le temps.

Les deux cavaliers pénétrèrent dans la bastide dont le portail sous l'auvent de pierre et de tuile restait grand ouvert. La cour était vide et l'ensemble donnait une impression de noblesse et d'austérité. Quelle différence avec les fermes pleines d'animaux et de fleurs du Berri et de la Touraine où les gens allaient et venaient en tous sens ! Colin ouvrait la bouche, fasciné, et sans qu'il s'en rendît compte encore, déjà amoureux. Il avait sous les yeux le gîte dont il rêvait depuis toujours pour lui et les siens.

Le logis principal offrait une façade Renaissance, ornée de frises et de bandeaux, avec des fenêtres doubles. Le toit de tuiles arborait un rose vieillissant qui se mariait heureusement avec l'ocre chaud de la pierre. Deux marches permettaient d'accéder à l'entrée principale, au bel arrondi. La porte s'ouvrit et un homme, grand, sec, le visage buriné par le soleil, sortit. Guillaume le présenta comme le propriétaire des lieux...

— Quelle magnifique maison vous avez ! s'exclama Colin quand ils se trouvèrent à table.

— C'est mon père qui a construit ces bâtiments, sur une terre que lui avait octroyée le seigneur de Puget, expliqua son propriétaire, flatté du compliment. Bien sûr, mon père n'a pas fait cela tout seul. Il a reçu l'aide de compagnons. Allons visiter, si vous voulez !

Colin le suivit sans se faire prier. La cour principale était flanquée de deux constructions sommaires, les ateliers de la verrerie primitive qu'on avait édifiés près du logis de manière à mieux surveiller le travail. Autour de la seconde cour, étaient disposées les écuries dont les plafonds voûtés entretenaient une agréable fraîcheur. Au-dessus de la porte de la façade, une pierre sculptée attira l'œil de Colin.

— J'ai toujours pensé que c'était un symbole religieux, commenta Guillaume qui s'était joint à eux. Avec cet arbre de vie déployé au centre...

— En effet, acquiesça le maître des lieux. Mon père prétend qu'elle provient des ruines d'une chapelle proche d'ici, appelée Sainte-Marguerite. Elles se trouvent dans la vallée du Degoutau par où vous êtes passés.

Ils arrivèrent au pied du pigeonnier qui se dressait un peu à l'écart, rond comme une tour de château fort. Un rang de pierres lisses encerclait le haut du mur.

— C'est pour empêcher les rongeurs d'arriver jusqu'au faîte et d'entrer pour grignoter la nourriture, expliqua le fermier.

Au rez-de-chaussée se trouvait une pièce en contrebas à laquelle on accédait en descendant deux marches. L'intérieur au plafond voûté restait frais toute l'année. Ils empruntèrent l'échelle et montèrent à l'étage.

— Combien de pigeons avez-vous ? demanda Colin en apercevant des boulins de terre verts et jaunes.

— Autant que la surface du sol peut en accueillir.

— De quand date la verrerie ? demanda-t-il encore, stupéfait par tant d'ingéniosité.

— Je ne sais plus, j'étais petit. Je me souviens seulement d'une bande de compagnons qui travaillaient jour et nuit, du bois en abondance qui chauffait les fours... C'était la belle époque !

— Pourquoi alors les fabriques ont-elles été abandonnées ?

L'autre eut un geste las.

— Sans doute le bois manquait-il, ou bien le sable était moins riche... Puis les récipients, les bouteilles et les ciboires qu'on fabriquait se vendaient mal...

— Cela a dû être triste pour vos parents...

— Certes, c'est pourquoi je suis resté avec eux. Maintenant la bastide n'est plus qu'une ferme.

— Pourrais-je visiter les fabriques ? demanda Colin, plein d'espoir.

— Si vous y tenez ! Je vous préviens, le spectacle de ces fours éteints n'est guère joyeux...

Colin et Guillaume entrèrent à sa suite dans l'ancienne verrerie. La poussière régnait, recouvrant les bancs, les tables de roulage et les fours, devenus hostiles et froids.

— Vous voyez, commenta l'autre d'un ton lugubre. On dirait un cimetière.

Dans la cour, Colin interrogea la voix vibrante d'une émotion qu'il ne se connaissait pas.

— Vous ne croyez pas que cette verrerie pourrait reprendre vie ?

L'autre hésita.

— Peut-être, mais pas avec moi. D'ailleurs, les parents de ma femme nous proposent de reprendre leur ferme près d'Apt. Je suis sur le point d'accepter.

Comme il se faisait tard, Colin et Guillaume prirent congé, après avoir remercié leur hôte de son hospitalité.

Ils traversèrent le Puget, abreuvèrent leurs chevaux au buffet d'eau, passèrent entre l'église Notre-Dame et le château. Des amis les accueillirent dans une maison située en contrebas du château de Lauris, à l'intérieur de l'enceinte. Cette partie du village restait sous la garde de la grande demeure, elle-même protégée par un pont-levis entre les deux premières cours.

Ils passèrent la soirée à évoquer le passé du village. Colin les écoutait, attentif et en même temps absent, comme si une partie de lui-même était restée dans la verrerie. Jamais il ne s'était senti aussi attiré par une contrée, par un lieu. Cette fabrique abandonnée lui avait adressé un défi, il avait envie d'y répondre.

# XVI

COLIN subissait l'épreuve du feu.

Il était arrivé à Apt en compagnie de trois artisans qui rentraient chez eux. Leur groupe était passé par Lourmarin, empruntant la terrible combe qu'on ne pouvait affronter sans s'être signé auparavant. La promenade était magnifique, avec ses lacets qui méandraient entre d'énormes blocs de rochers le long de l'Aygue Brun. De place en place, une borie servait encore de refuge aux bergers. La vue qu'on avait au sommet s'étendait jusqu'aux Alpes. Le petit groupe traversa la place Saint-Pierre et son *mazel* où l'on dépeçait et vendait les animaux en plein air, emprunta ces carrieras, si typiques.

— Il existe une autre carriera, fort tentante pour un célibataire, lança un de ses compagnons, avec un clin d'œil très appuyé.

Colin haussa les épaules. Il n'avait plus envie d'être infidèle à sa femme, il n'avait qu'une hâte, rendre visite aux Ferri, les descendants du fameux Benoît Ferri, maître verrier venu d'Italie, qui avait imposé la marque de son talent dans toute la région. A force d'habileté, il avait réussi à obtenir une introduction auprès de cette famille.

Son entrevue le conforta dans ses résolutions. On lui réserva un accueil chaleureux dans cet hôtel qu'ils habitaient rue du Lion-d'Or.

Oui, lui affirma-t-on, le métier du verre avait encore de beaux jours devant lui dans la région, il suffisait d'avoir la persévérance... et le talent. Il avait prouvé qu'il réunissait ces qualités puisqu'il était compagnon. S'il le souhaitait, il pouvait faire son apprentissage auprès d'eux, à la Roche d'Espeil, au sud de Buoux.

Colin laissa là sa morgue d'ouvrier éprouvé et se donna tout entier à l'étude. Il trouva même plaisant de devoir demander conseil à des compagnons plus jeunes que lui, des novices qui le dépassaient pourtant dans cette science nouvelle. Pour parfaire ses connaissances, il visitait d'autres verreries aux alentours et, surtout, méditait de revenir aux fabriques du Puget, ces ateliers désaffectés où s'était affirmée sa nouvelle vocation. Anne accepterait-elle de l'y suivre et de tout recommencer avec lui ? Loin des siens, loin de la terre qu'elle avait toujours connue ? Le doute l'assaillait. Malgré tout, une voix lui disait qu'elle n'était pas de ces femmes enracinées à leur terroir, mais un esprit fort, un être courageux, avide de connaissance et de recommencement. Tout était encore possible.

Quand il eut fini son apprentissage, il ne revint pas tout de suite à Lauris. Il souhaitait parachever ce pèlerinage étrange auprès de l'esprit de sa famille, passer à Lourmarin. Il le devait aux siens, à cette génération nouvelle qu'Anne et lui avaient entrepris de créer. Dès qu'il s'approcha de cette petite cité, il fut sous le charme. Du bas de la combe, le regard embrassait le château à la tour crénelée qui dominait les maisons, non comme une forteresse, mais comme une protection. Les maisons se serraient autour de l'église dédiée à saint André et à saint Trophime. Colin remarqua que l'église du beffroi n'avait qu'une seule aiguille, ce qui convenait sans doute au naturel nonchalant des habitants.

— Je ne vois pas de temple, fit-il remarquer à l'aubergiste chez qui il avait élu domicile. On m'avait pourtant dit qu'il y avait des vaudois dans le village ?

— L'essentiel a été pillé en 1545, près de cent constructions détruites, imaginez-vous, soupira le tenancier. Depuis l'édit de Nantes, les protestants commencent tout juste à reconstruire.

Enfin, quand il eut accompli cette visite, riche de symboles et de promesses, il décida de revenir une dernière fois à la verrerie, pour être sûr. Puis il connaissait la curiosité d'Anne, son esprit incisif et piquant, curieux de réponses précises. Il lui faudrait gagner son accord !

Une dernière fois, il admira le paysage, les montagnes du Luberon qui formaient appui au nord, portant sur leurs flancs des oliviers. Enfin, il se dirigea vers la maison d'habitation.

Elle était bâtie sur une cave creusée dans le rocher, on y descendait par une trappe découpée dans un coin de la cuisine. Colin eut soudain la vision d'Anne assise sur un *cousiège*, occupée à observer les dernières lueurs du jour. Au fond du vestibule, un bel escalier déployait ses marches à giron carrelé et à nez-de-bois. A l'étage, se trouvaient trois chambres, blanchies à la chaux, d'apparence monacale, éclairées par des croisées qui donnaient sur la cour. Anne serait heureuse, se réjouit-il, d'habiter une maison qui avait si fière allure !

Il fit ensuite le tour des dépendances. Les fabriques et le cellier étaient d'un seul tenant et ouvraient sur la cour principale. Les bâtiments abritant les animaux et le pressoir s'élevaient autour de la cour agricole. Colin parcourait ces différents lieux, l'esprit ailleurs. Il se voyait déjà à la tête de la verrerie remise en état, tandis que sa femme dirigerait la ferme pour satisfaire leurs besoins quotidiens. Aimerait-elle cela ? Il fallait s'assurer que l'exploitation pouvait loger et nourrir les ouvriers ainsi que les servantes de la maison et de la ferme. La bastide serait-elle sûre pour Anne et son enfant? Il tournait toutes ces questions dans sa tête, excité et impatient à la fois.

Le propriétaire l'avait rejoint, un grand sourire illuminant son visage.

— Viens sous le treillard, lui proposa-t-il en l'entraînant sur une terrasse coiffée d'un manteau de vigne.

— Nous disons plutôt la treille par chez nous, observa Colin, qui balaya le paysage et la maison du regard. J'aime ce pays... Peut-être cela tient-il à ce que tout y est différent et que je n'arrête pas de me poser des questions... Je viendrais bien y vivre avec ma femme. Qu'en penses-tu?

Le propriétaire vida son verre, s'essuya la bouche d'un revers de main.

— Pourquoi pas? Nous ne nous connaissons guère mais j'ai confiance en toi. Il me plairait de te confier la ferme où j'ai passé ma vie...

Il resta silencieux quelques secondes et poursuivit d'une voix légèrement altérée par l'émotion, en désignant la vigne au-dessus de leur tête :

— C'est du chasselas et du muscat, tu verras, en automne tu te régaleras.

— J'ai surtout l'ambition de faire revivre les fabriques, dit Colin en le regardant droit dans les yeux.

— Il te faudra beaucoup de courage, assena l'autre, le regard grave. Les seules verreries en activité aujourd'hui se trouvent au nord d'Apt, vers Saint-Christol et dans la forêt de Valsaintes. Qu'est-ce qui te fait croire que tu pourrais réussir?

— Je ne sais pas, ma bonne étoile peut-être, plaisanta Colin. Puis nous vivrons des produits de la ferme, dans un premier temps.

L'homme hocha la tête.

— Tu es fou, mais je crois bien que tu as raison.

Colin prit congé de son hôte en promettant de lui donner bientôt de ses nouvelles.

Il lui tardait de retrouver Anne après ces deux mois d'absence. Si mes calculs sont bons, l'enfant devrait être là dans une, deux semaines peut-être, quelle joie ! s'enflammait-il à l'avance, en se voyant annoncer à la jeune mère que toute leur petite famille partait s'établir à des centaines de lieues plus au sud. Elle aimera, j'en suis certain, puis n'est-elle pas brune, comme les gens d'ici ? ajoutait-il pour achever de se convaincre. Elle s'est tellement ennuyée pendant ces longs mois, dans la solitude brumeuse de la Loire. Ici, elle retrouvera une autre ardeur !

Quatre jours plus tard, il était arrivé à Moulins. Il se hâta de dépêcher un courrier auprès de sa femme, afin de lui éviter une surprise trop forte. Dans son état, ce n'est pas conseillé, jugea-t-il. Il forçait l'allure, la tête pleine de projets, le cœur en fête.

Par malheur pour Colin, ses calculs étaient faux, son enfant ne l'avait pas attendu. C'était un petit garçon. La santé de l'enfant et de la mère se révélant excellente, personne ne s'inquiéta.

Anne souffrit beaucoup de l'absence de Colin. Par bonheur, sa mère, Marguerite et Jean jouèrent leur rôle et l'assistèrent avec tendresse.

— Quel dommage que mon gendre ne soit pas là, fit remarquer le père d'Anne à Jean, alors que tous deux attendaient dans le jardin, la naissance.

— Certes, riposta Jean, solidaire de son père adoptif, mais il prépare l'avenir de sa femme et de son enfant.

Le jardin s'enténébrait. Ils surveillaient sans se le dire les allées et venues des femmes, inquiets tous deux. Une femme qui accouche sans son mari, n'est-ce pas d'un présage funeste ?

Pourtant, la maison aux volets verts semblait gonfler de contentement dans ses murs de tuffeaux tant elle paraissait bien assise, entre la rue et les fleurs, avec son panache de fumée qui montait du toit d'ardoise grise. Jean cherchait fébrilement dans sa mémoire le prénom que Colin avait évoqué pour l'enfant. Ah oui, Nicolas ou Marie ! Il faudrait qu'il en parle à la jeune mère, mais elle devait déjà le savoir. Peut-être même l'avait-elle choisi avec son mari, se rassura-t-il.

Enfin, les deux hommes furent admis dans la chambre où l'accouchée les accueillit avec un sourire radieux. Jean eut à peine le temps d'embrasser Anne et de se pencher sur le berceau de Nicolas que les voisines emplissaient la chambre, la nouvelle s'étant rapidement répandue. On embrassait l'accouchée, on admirait l'enfant, on faisait en sorte d'oublier l'absence du père à cet instant. Anne, très pâle, les traits encore crispés de douleur, n'oubliait pas.

Cette amertume ne la quitta pas, même dans les jours qui suivirent la naissance de Nicolas. Elle regardait l'enfant dans son berceau, ses yeux bleus qui s'ouvraient à la vie, qui commençaient à suivre les mouvements, mais elle ne parvenait pas à se sentir vraiment émue. Colin lui manquait.

Sans doute était-elle plus épouse que mère. Jean l'exaspérait. Avec sa délicatesse habituelle, il avait proposé de venir dormir chez elle afin qu'elle soit moins seule avec son fils. Il avait même lancé le nom d'Angélique, mais, devant l'air morose de sa belle-mère, il n'avait pas insisté. Anne en voulait à Jean, d'abord de défendre son père, cet homme léger qui avait manqué l'arrivée sur terre de son enfant, ensuite d'aimer une jeune fille qui, semblait-il, le lui rendait bien. On ne le voyait plus sans Angélique et Anne se sentait abandonnée.

La nuit, ce sentiment devenait insupportable. Elle s'agitait, seule dans les draps, elle pleurait, elle cherchait Colin, mais la colère aidant, elle finit par s'avouer la vérité. Son viol lui avait ouvert des horizons qu'elle ne soupçonnait pas, auprès desquels l'union charnelle qu'elle avait jusqu'ici connue avec son mari faisait piètre figure. Alors elle passait de longues nuits d'insomnie, mordait ses draps, s'en voulait de ces folles idées. Jamais plus je ne serai à un autre que Colin, se répétait-elle dans une sorte de fièvre, jamais plus il ne partira sans moi !

Puis quand elle finissait enfin par s'endormir, Nicolas la réveillait de ses pleurs. Au matin, Jean la trouvait épuisée, les yeux battus.

— Anne, serais-tu malade ? interrogea-t-il, un jour, devant sa mauvaise mine.

Face au mutisme de la jeune femme, il prit sur lui d'aller consulter la matrone du village. Ils réfléchirent ensemble, puis décidèrent que l'enfant devait avoir faim, le lait de sa mère n'étant pas assez riche pour le nourrir. Anne devait se reposer, dormir, manger, des lentilles par exemple, et on ajouterait à l'alimentation du nourrisson du lait de vache. Anne se sentit honteuse. Elle eut l'impression qu'on l'accusait d'être une mauvaise mère, qu'on lui reprochait de négliger son enfant.

— Tu n'as que ça à faire, insista la matrone. Tu ne travailles pas aux champs ! Imagine la tête de Colin s'il découvre son fils maigre comme un clou à son retour !

Anne voulut répondre que l'enfant et elle préféreraient avoir leur père au foyer, mais serra les lèvres et se tut. L'hostilité du village lui avait fait assez de mal.

Elle s'efforça donc de manger, de dormir, de s'intéresser à ce petit être qui souriait quand on s'approchait. Elle le prit dans ses bras, apprit à prévenir et à calmer ses pleurs.

Elle lui ajouta du lait et un peu de farine dans son alimentation. Bien traité et aimé, le petit Nicolas se sentit comblé et cessa de réveiller sa mère la nuit.

Anne se languissait de Colin. Elle n'avait reçu qu'une lettre de lui, alors qu'il descendait vers le sud. Elle ne savait pas où il était, elle n'avait aucun moyen de le joindre, elle se sentait abandonnée. Elle prenait sa première et unique lettre, elle la lisait, la relisait, connaissant par cœur les passages où il parlait de son amour pour le verre, de sa soif d'apprendre, des espoirs qu'il mettait dans ce voyage. Elle se sentait de plus en plus seule. Quand présenteraient-ils Nicolas à ses grands-parents ?

Que suis-je face à la passion de Colin pour son métier ? Cette pensée l'attristait, elle restait auprès de sa fenêtre, à surveiller l'enfant et à regarder les passants, sans espoir.

Elle avait tort.

Un soir, Jean lui fit une surprise. Il avait rencontré un maître verrier de la province de Champagne sur le chantier et il lui avait paru si sympathique qu'il lui avait proposé de venir dîner chez sa belle-mère. Anne accepta sans joie particulière. Pourtant, en le voyant, elle fut impressionnée par son élégance, par l'harmonie de ses traits. Il portait un collier de barbe du même brun que ses cheveux, retenus à la nuque par un ruban, ses mains et ses attaches étaient fines et la façon dont il s'inclina pour la saluer révélait un homme de bonne compagnie.

— Je regrette de ne pouvoir rencontrer votre mari, déclara-t-il d'emblée.

— Hélas, répondit Anne, moins sincère qu'elle n'aurait voulu, il est parti pour le pays d'Aygues.

Un large sourire illumina le visage du visiteur.

— Comme je le comprends ! C'est si beau, madame, la lumière sur le Luberon ! Tout a un goût différent, là-bas.

Tenez, regardez cette pomme. Vous la croquez et vous respirez l'air humide, vous voyez l'herbe grasse et les vaches qui paissent tranquillement. Tandis qu'une pomme du Luberon...

— Alors ? interrogea Anne, amusée par cette réflexion.

— Elle est jaune et trop sucrée. Vous la mangez sur le sol caillouteux et sec, entouré de chèvres, le soleil et le ciel bleu au-dessus de la tête, les rochers ocres autour de vous. L'odeur des pins vous monte aux narines, et le concert des cigales vous étourdit. Qu'importe, on rit, on parle pour parler, là-bas !

— Vous semblez avoir le goût de ces pommes, glissa Anne, l'œil malicieux.

— Quand vous y aurez goûté, vous ne pourrez plus vous en passer, rétorqua l'autre sur le même ton. Dans le nord, on se nourrit, dans le sud, on savoure. Mais je reviendrai vous en parler plus longuement une autre fois, ainsi que du métier du verre, si vous le souhaitez. Il se fait tard.

Il prit congé. Anne se sentit brusquement très seule, très émue aussi. Était-ce l'aisance de cet homme ? Elle avait bien fait de ne pas insister pour le garder plus longtemps. Les jours suivants, elle ne cessa de penser à lui. Et quand Jean vint lui annoncer que Grégoire était embauché à Richelieu pour quelque temps, elle se sentit soulagée au point de l'inviter pour le soir même.

Ils prirent place autour du foyer. Le maître verrier évoqua le grand feu et les merveilles de son art. Il fit danser devant leurs yeux les boules incandescentes tenues au bout de sa canne. Ils retinrent leur souffle au moment où l'artisan soulevait la bosse au-dessus du feu et dosait l'air qui dilaterait la pâte.

Pour parler de la magie de ces couleurs qui teintaient la lumière traversant les vitraux, Grégoire sut trouver les mots qui enflammèrent l'imagination de la jeune femme.

Emportée par son enthousiasme, elle accepta de lui rendre visite au château le lendemain, afin de voir comment on montait les vitraux dans la chapelle. Jean, surpris, proposa de la conduire, mais Grégoire, très obligeant, rétorqua qu'il se ferait un plaisir de s'en charger lui-même.

Le lendemain matin, Grégoire arrivait, vêtu comme pour un dimanche d'un habit brun sous lequel fleurissait un long gilet bleu, chaussé de souliers à boucles. Elle se sentit toute modeste dans sa mise, et le lui fit remarquer. Il la complimenta sur son teint, ajoutant que la beauté se passait d'artifice. Elle se sentit rougir.

Marguerite, qui veillait sur l'enfant pendant son absence, lui adressa un signe encourageant derrière la vitre, et elle sourit, très heureuse. Avant de l'amener à l'atelier, le jeune homme lui demanda la permission de passer par Chinon prendre livraison de verres en provenance de Champagne. Elle accepta, ravie de cet allongement du trajet. Il était si agréable de se laisser bercer par le pas des chevaux, le visage doucement caressé par le soleil d'automne ! Elle s'en voulut néanmoins de cette joie si peu conforme à son état de mère de famille et se tint prudemment silencieuse.

Toutefois, quand elle fut sur le chantier avec Grégoire, elle oublia sa réserve. Elle admira les plaques de verre aux tonalités éclatantes, s'intéressa à l'alchimie des mélanges que Grégoire lui détailla avec soin. Cuivre et cobalt pour obtenir du bleu, cuivre et soufre pour parvenir à ce rouge si somptueux. Anne buvait ses paroles, séduites par les belles lèvres qui les prononçaient.

— Voulez-vous poursuivre la visite chez moi ? proposa l'autre, sur un ton très sérieux. On a mis un local à ma disposition, ainsi que des aides pour découper les verres que j'ai commandés dans l'est de la France.

— Vous réussissez ces merveilles tout seul ! s'exclama Anne, stupéfaite.

— Bien sûr, c'est ainsi qu'on découvre de nouvelles couleurs. Tenez, vos yeux, par exemple, depuis que je vous ai vue, j'essaie d'imaginer le mélange qui en reproduirait le coloris, si rare, d'aigue-marine...

Très flattée, Anne bredouilla sur un ton badin.

— Si je comprends bien, vous ne m'avez proposé cette promenade que pour voir mes yeux en plein jour !

Le verrier tomba à ses genoux.

— Ne soyez pas si méchante ! Je ne pense qu'à votre beauté.

— Pour la dessiner ou la peindre, railla la jeune femme, désarmée.

— Pour me protéger de cette attirance, de ce que je sens en vous qui me séduit infiniment plus, encore, que votre apparence.

Anne resta étourdie par la violence de cette déclaration. Jamais on ne l'avait regardée ainsi, jamais on ne lui avait parlé avec autant de ferveur et de spontanéité. Elle lui tendit les mains pour le relever. Grégoire ouvrait les bras pour l'enlacer, quand deux apprentis entrèrent. Sur le chemin du retour, Anne réfléchissait, indécise. Que se serait-il passé si la porte ne s'était pas ouverte ?

Elle en avait été si troublée qu'elle découvrit, en rentrant chez elle, qu'elle avait laissé son fichu chez Grégoire. Le soir tomba. Elle renvoya Marguerite, s'occupa de Nicolas, tremblante, bouleversée. Elle ne sortit fermer ses volets qu'au tout dernier moment, mécontente sans savoir pourquoi. Le lendemain, Jean lui remit un fichu de la part de Grégoire qui n'avait pas voulu la déranger la veille. Cette courtoisie l'impressionna.

Le lendemain, sur les conseils de la matrone, elle sortit Nicolas dans une sorte de caisse montée sur roues et lui fit accomplir sa première promenade à l'extérieur. Elle se trouvait dans les dispositions d'esprit de quelqu'un qui a échappé à un grand danger et savoure avec bonheur les joies de la vie. Respirant l'air vif du matin, elle sentait son corps, libre sous les cotillons, sa poitrine reprendre ses jeunes formes. Que Colin revienne, vite ! songeait-elle. Elle revenait chez elle quand un messager lui apporta la nouvelle. Son mari ne serait pas de retour avant une dizaine de jours.

Il fallut ce changement fâcheux, il fallut la promenade de Grégoire qui passa, par inadvertance, devant sa porte, pour que l'envie naisse. Le soir, Grégoire revint alors qu'elle marchait de long en large devant son feu de bois.

Il entra sans bruit, la prit par la main. Refermant avec soin la porte sur Nicolas endormi, il l'entraîna dans le bois voisin. Ce fut comme un accomplissement évident, une union sûre et sans surprise.

Ils s'enlacèrent sur la mousse, se connurent sans heurt comme s'ils s'étaient pris depuis toujours. L'extase fut identique de part et d'autre.

Au petit matin, Anne regagna sa maison, l'âme en paix.

# XVII

GRÉGOIRE initiait Anne aux merveilles de son métier. Un soir, elle s'était enhardie jusqu'à lui montrer des dessins qu'elle cachait dans une malle, des œuvres de jeunesse que personne n'avait jamais vues. Grégoire s'était enthousiasmé, l'incitant à poursuivre. Elle avait hésité, puis s'était lancée dans cette passion ancienne, allant même jusqu'à lui proposer un projet de vitrail. Il l'avait accepté !

Depuis, au vu et au su de tous, elle participait au travail du verrier. Ils avaient ensemble choisi la couleur et la place des plombs. Jean la conduisait sur le chantier tous les jours. Marguerite, ravie d'avoir une occasion de quitter sa maison et de s'occuper du petit auquel elle commençait à s'attacher très fort, venait dès la première heure. Pendant ce temps, Anne admirait les verres qui avaient été découpés selon les lignes de son dessin, incrédule devant cette magie.

Le vitrail se terminait. Colin avait envoyé une lettre dans laquelle il informait Anne de son retour prochain ainsi que de son intention de s'établir avec elle dans le Luberon. Anne s'interrogeait sur l'avenir de sa passion avec Grégoire. Se satisferaient-ils de l'inévitable médiocrité d'une liaison, eux qui avaient connu l'accomplissement de la fusion ?

Seuls dans l'atelier, ils communiaient dans le même amour des formes et des couleurs.

— Nous sommes un vieux couple, qui ne vit que dans l'amour du métier, fit remarquer Grégoire, comme à regret.

— Tu oublies notre passion, s'indigna Anne. Puis notre relation n'est-elle rien d'autre qu'un immense merci de l'élève à son maître ? C'est peut-être pour cette raison que je n'ai pas l'impression de tromper mon mari... Il reste que je ne me vois pas reprendre ma vie d'avant, ces journées occupées par les tâches de ménage et de cuisine, si fastidieuses.

Grégoire eut un mince sourire.

— Chère et douce amie, si je pouvais te dire ce qui me passe par la tête, parfois. Mais tu as un enfant... Alors je partirai, au plus vite.

— Je ne vais plus te voir ? s'alarma la jeune femme.

— Peut-être, dans le Luberon. Moi aussi, j'ai l'espoir de m'y installer. La lumière y est si douce aux vitraux...

Colin arriva le lendemain, dans une maison fleurie, ornée de dessins, emplie de gazouillis d'enfant. Ses yeux s'écarquillèrent en voyant Nicolas. Mais devant la bonne humeur de sa femme et la grâce du petit, très peu farouche devant cette présence masculine qui venait le surprendre, il se détendit. Pour se rattraper, il se dit qu'il enlèverait Anne et son fils le plus tôt possible.

La soirée fut très gaie. Jean avait convié Angélique afin de la présenter à son père. Colin raconta longuement son voyage, étonné par l'intérêt que sa femme portait à l'art du verre.

— J'en suis un peu responsable, intervint Jean, rougissant. J'ai emmené ici un maître verrier de Champagne qui a convaincu Anne de l'intérêt de son art. La solitude n'est pas chose facile pour une jeune mère...

— Toutes les femmes sont logées à la même enseigne, le coupa Colin. Tu manquais de distractions, ma mie ?

Anne soutint son regard.

— Pas de distractions, mais d'activités. Une maison sans homme est si triste ! Plus de cuisine, plus de travaux de reprisage, et un enfant qui ne bouge pas de son lit ! Je m'ennuyais, c'est vrai, alors l'art du verre est venu me distraire.

— Je n'avais pas imaginé tenir tant de place dans une maison, rétorqua Colin d'un ton satisfait. Rassure-toi, tu vas entendre parler de ta passion à nouveau. J'ai visité une ancienne verrerie dans le Sud. Si tu le veux, nous allons lui redonner vie.

— Oh, Colin, ce serait merveilleux ! J'ai des dessins à te proposer...

Anne se mordit ses lèvres. Elle voulait lui réserver la surprise.

— C'est ce verrier qui te les a demandés ? interrogea Colin, l'œil soupçonneux. Comment était-il cet homme ? Jeune, j'imagine pour provoquer une telle ardeur. J'aimerais bien le connaître.

— Je suis certaine que tu apprécieras son savoir-faire, répondit Anne.

Elle n'éprouvait aucune gêne vis-à-vis de son mari, rien qu'un enthousiasme immense pour cette passion qui avait fondu sur elle. La nuit vint et elle prouva à son époux qu'elle l'aimait toujours autant. Ce n'était plus l'élan qui les jetait l'un sur l'autre, mais des étreintes profondes, dans un commun respect. Les deux époux s'endormirent, main dans la main.

Le lendemain, Colin demanda à rencontrer Grégoire. Anne l'accompagna, le cœur serré, mais heureuse malgré tout que son mari découvre ce nouvel univers qui était devenu le sien. La rencontre se passa très heureusement et bientôt la discussion s'anima, chacun des deux compagnons entretenant l'autre de son savoir-faire. Toutefois, au fur et à mesure qu'il parlait à cet homme jeune et de belle tournure, Colin sentit naître en lui un doute. Il s'efforça de chasser ce démon et se plongea dans l'examen du travail d'Anne.

Le vitrail représentait un saint Nicolas qui portait dans son tablier les trois enfants qu'il venait de sortir du saloir. Dans le fond du décor, on voyait le boucher, couteau en main, puis, plus loin, la promenade des trois petits avant qu'on ne les assassine.

— C'est très réussi, s'exclama Colin admiratif, je ne te savais pas un tel talent !

— C'est vrai, Anne, oh pardon, votre dame est très douée, intervint Grégoire.

Le visage de Colin se ferma.

— Ma femme n'est pas compagnon, encore moins votre apprentie. Appelez-la par son nom d'épouse si vous le voulez bien.

Colin prit sa femme par le bras et l'entraîna hors de l'atelier.

Les deux époux se turent sur le chemin du retour. Anne se sentait désespérée. Ne pourrait-elle jamais être heureuse, concilier la vie d'épouse et de mère et sa passion pour cet art merveilleux qui avait enfiévré ses jours ? Elle s'abstint de toucher à ses fusains quelque temps, mais l'envie fut trop forte.

Elle était inspirée par un homme dont on parlait beaucoup autour d'elle. C'était un prêtre qui s'appelait Monsieur Vincent. Il consacrait sa vie aux indigents, spécialement dans la campagne, son passage sur une galère le rendant sans doute attentif au malheur des autres. Il avait fondé un groupement de femmes dévouées et charitables qui recueillaient des enfants abandonnés et donnaient à manger aux pauvres. Cette image de ces petits êtres perdus hantait la jeune femme. Elle voulait, comme pour saint Nicolas sauvant les trois enfants du saloir, montrer saint Vincent de Paul cueillant au coin des rues, près des ruisseaux, au pied des maisons, les innocents que leurs mères affamées ne pouvaient plus garder.

Chaque jour elle rangeait soigneusement son travail, pour éviter que Colin ne le découvre. Pourtant, un soir, elle le trouva au milieu de la pièce, à observer ses esquisses.

— Tes dessins sont très bons, observa-t-il presque à regret. Est-ce ce maître verrier qui t'inspire tant ?

Voyant la déception se lire dans le regard de sa femme, Colin soupira.

— Tu as du talent. La figure de ton prêtre est empreinte de bonté. Son geste pour sauver cet enfant du ruisseau touchera toutes les mères. Si tu veux, nous irons le porter à Grégoire demain.

Anne n'en dormit pas de la nuit. Le lendemain, ils montèrent dans la nouvelle voiture que le sculpteur venait d'acquérir, un véhicule léger à deux roues, muni d'une capote qui protégeait du froid et de la pluie. Anne avait appris à le conduire et n'hésitait pas à y installer Nicolas, bien attaché dans son panier, pour y faire des promenades. Ce jour-là, c'est Colin qui conduisit. A l'arrivée chez Grégoire, il descendit et, fort galamment, porta le carton à dessins de sa femme jusqu'à l'atelier.

Il salua la compagnie et prévint qu'il reviendrait chercher Anne en fin de soirée.

Cette visite remplit Grégoire de bonheur. Toutefois, il

n'osa pas s'approcher de son élève, et resta à distance, respectueux, comme si une personne s'était glissée entre eux.

— Anne, ta présence me comble, dit-il enfin. Installe-toi, que je te regarde travailler, avec ta main qui vole au-dessus du patron, la sueur qui coule sur ton front. Dessine, corrige, découpe le carton, je reste là, avec toi. Ces heures, nos heures ensemble, sont si rares, si précieuses...

Anne se mit à l'œuvre, non sans ravaler les sanglots qui lui venaient devant tant d'abnégation. Quand Colin revint, ils étaient en pleine discussion, chacun d'un côté de la table. Grégoire insista pour vanter les mérites de la jeune femme.

— Je vous assure, maître Colin, que votre épouse est très douée. Regardez, elle a presque fini. Il reste encore à terminer le travail à la grisaille, mais elle s'y refuse.

— J'ai trop peur de tout gâcher, le coupa Anne, timidement.

— Si je réinstalle cette verrerie dans le Luberon, lui dit Colin, tu pourras t'y essayer à loisir.

Les deux amants échangèrent un bref regard. On y lisait le même rêve insensé de se retrouver et de vivre ensemble dans cette contrée merveilleuse, en y partageant, loin des hommes, la passion des vitraux.

Au retour, Anne eut envie de pleurer.

L'ai-je vu pour la dernière fois ? se demanda-t-elle. Son vitrail était achevé, elle n'avait plus de prétexte pour lui rendre visite. Comme le destin était injuste, qui la séparait de celui qui lui avait ouvert les portes d'un monde nouveau, la révélant ainsi à elle-même ! Elle prit néanmoins sur elle de vaquer aux travaux habituels, de servir le souper et de sourire à sa famille.

— Nous partirons quand tu le voudras, dit-elle seulement à son mari avant de se coucher.

Des nouvelles de la Tour les décidèrent à organiser enfin la rencontre avec les parents de Colin. Ceux-ci descendraient l'Allier et les retrouveraient à Moulins, une étape du jeune couple sur la route du Luberon.

Les préparatifs allèrent très vite. Anne se montra la plus déterminée. Il lui fallait quitter Grégoire le plus vite possible. Ils vendirent la maison de Richelieu. Anne voulait couper tous les liens qui l'attachaient à la région.

Elle proposa même, dans un élan de générosité et de gratitude pour la loyauté que lui avait témoignée son beau-fils, de lui faire don de leur maison de Champigny.

— Angélique et lui vont se marier le mois prochain, il importe qu'ils aient rapidement leur foyer, plaida-t-elle auprès de son mari, ravi de l'arrangement.

Colin avait organisé une grande fête au village, la veille de leur départ. Grégoire y fut convié et, le temps d'une danse, échangea une pression de mains avec la jeune femme. Avait-elle rêvé, mais il lui sembla l'entendre chuchoter un au revoir à son oreille ?

Elle partait, mais une intuition lui disait qu'elle le reverrait dans le Luberon.

Anne, Colin et Nicolas quittèrent Champigny sans tristesse. Une carriole les mena jusqu'à la Loire où les attendait une péniche. La douceur de l'air au-dessus du fleuve, le paysage aux lignes souples et le léger balancement sous leurs pieds qui s'accordaient avec leur état d'esprit du moment, les bercèrent, leur apportant paix et confiance.

La rencontre avec les parents de Colin fut une grande joie pour tous. Pierre, le père de Colin, avait fière allure avec son habit bleu et son tricorne. Sa femme Nicolette souriait sans cesse. Son visage encadré de bandeaux blancs, la jupe brune qu'elle portait avec coquetterie sur un jupon bleu lui donnaient un air avenant.

Pierre fut heureux de connaître son petit-fils. Comme Colin lui faisait part de sa passion nouvelle pour le verre, il observa, non sans fierté :

— Quelle aventure, mon fils ! J'ai toujours admiré ton courage, mais là, je suis impressionné. Il en faut beaucoup pour remettre une fabrique en état, sais-tu, tu auras fort à faire...

Et le lendemain matin, Nicolette et lui leur proposèrent de les accompagner dans leur voyage, pour les aider à s'installer dans cette nouvelle vie.

Colin et Anne ne se firent pas prier. La présence chaleureuse de ces deux personnages d'âge mûr les détournait de leurs regrets, des tristesses du passé et des angoisses de l'avenir. Ils se sentaient solides, comme protégés par ce nouveau groupe familial dont ils avaient eu l'initiative. Et Nicolas, dorloté par tous, les enchantait de ses sourires d'enfant heureux.

# XVIII

Ils abordèrent la Saône à Tournus.

Les couleurs des pierres chauffées par le soleil, les tuiles rondes et l'accent local leur mirent le cœur en joie. Ils quittèrent bientôt les rives du grand fleuve, couvertes de vignes et de cultures, pour se rendre à Charolles où Nicolette souhaitait se recueillir. Elle y avait vécu cinquante ans plus tôt, dans une ferme appelée le Bas du Clos, près du cimetière où reposaient ses parents, les grands-parents de Colin.

Les visiteurs contemplèrent les tombes, très émus.

— Il faut savoir remettre ses pas dans les traces anciennes afin de mieux goûter les couleurs du présent, déclara le père de Colin.

Tous se turent, méditant cette pensée. Enfin, ils parvinrent à Avignon, et de là, dans le Luberon. Colin ne tarissait pas d'anecdotes sur Avignon donnée par Philippe III le Hardi au pape Grégoire X, sur le choix de cette capitale du Comtat par les anti-papes. Il leur raconta encore qu'au XVe siècle on appliquait dans cette région le droit de représailles. Tous les habitants d'origine étrangère pouvaient être tenus responsables des délits commis par un malfaiteur de passage de même origine géographique qu'eux !

Toute la famille écoutait avec surprise et intérêt.

D'emblée, la région les enchanta par ses rochers déchiquetés, par ses fleurs jaunes qui parsemaient ses flancs encore chauffés du soleil de cette fin d'automne. Quand ils abordèrent le chemin de la verrerie, Colin scruta les réactions de sa femme. Allait-elle aimer cette maison au point de souhaiter s'y installer pour le restant de ses jours ?

Anne s'avança, le cœur soulevé par l'émotion. Il lui semblait retrouver un paysage qu'elle aimait depuis toujours. Elle sentait qu'elle avait enfin devant elle son foyer. Au moment de franchir le seuil, elle se retourna pour admirer le disque orange du soleil au-dessus de la Plane Sainte-Marguerite, la vallée où coulait la Durance, les cultures et les vignes. Elle embrassa la fermière, bouleversée par la confiance qu'elle éprouvait dans l'étreinte de cette femme simple. Bon courage, semblait-elle dire, nous vous jugeons digne de prendre la relève et de donner à ce décor la famille qu'il mérite.

Une semaine plus tard, les anciens propriétaires partaient et Anne prenait possession des lieux. Elle avait le sentiment que le destin lui faisait un fabuleux présent. Il tenait à elle de s'en montrer digne. Elle nettoya chacune des pièces de fond en comble, des rideaux cousus par Nicolette furent suspendus aux fenêtres, Pierre fixa des étagères aux murs. Il n'y avait plus dans cette maison, le souvenir de Colombe pour tirer Colin vers son passé, songea Anne avec satisfaction. D'ailleurs, on ne le voyait plus, occupé qu'il était à mettre en route son projet et à lier connaissance avec les habitants du village. Lui, le taciturne, déployait des trésors d'amabilité pour se faire aimer. Un soir, il amena des voisins sous le treillard. On bavarda autour d'une bouteille de vin et, très vite, la conversation tourna autour des massacres religieux, particulièrement meurtriers, qui s'étaient déroulés dans la région, à Mérindol.

— Pourquoi les vaudois et les huguenots ne se sont-ils pas groupés pour se faire entendre ? interrogea Pierre en homme combatif. On raconte que François I^er^ était indulgent pour ces nouvelles doctrines...

Les visiteurs hochèrent la tête.

— Peut-être, mais il ne tenait pas à compromettre ses intérêts, et surtout à donner une occasion d'intervenir à son pire ennemi, le très catholique Charles Quint.

— Mieux vaut se fondre dans la farine papale et rester en vie que de se découvrir pour se faire massacrer, s'empressa d'ajouter un voisin.

— Et maintenant, l'entente règne-t-elle entre protestants et catholiques ? demanda Colin.

Il lui fut répondu que chacun essayait de vivre en bonne amitié sans se faire remarquer. Les Arquial s'étonnaient de ce qu'un siècle plus tard le souvenir des peurs et des haines ne se fût pas éteint.

Quelques semaines passèrent. Colin avait embauché une équipe de compagnons et travaillait avec eux à remettre les fours en marche.

Il avait abandonné la direction de la ferme aux deux femmes, chargées d'assurer la nourriture quotidienne en attendant que la fabrique redevînt rentable. Par bonheur, le climat tempéré favorisait les cultures. Les poules et les lapins rachetés aux prédécesseurs se vendaient toujours bien sur les marchés et le potager restait prospère, malgré la saison avancée.

Les oliviers, les amandiers et les noyers du verger enchantèrent Anne qui décida d'en planter de nouveaux. Planter des arbres fruitiers, c'était comme couver un être cher en son sein en lui donnant le meilleur de soi-même.

Pierre prit en main le travail des champs. Il fabriqua un coupe-foin et répara systématiquement chacun des outils nécessaires aux récoltes. Les pâtures nourrissaient chèvres et brebis, mais aussi, coupées à l'aide du *daïo*, donnaient des litières pour les écuries. Anne avait engagé un berger, un garçon du village qui vivait avec ses chiens dont il avait coupé les oreilles et la queue afin, selon la coutume locale, de leur éviter de se faire attraper par le loup. Depuis qu'elle l'avait engagé, Anne espérait bientôt prendre part au concert des cloches de la transhumance.

Un soir, en rentrant en carriole du Puget où elle était allée vendre œufs et lapins, elle vit une épaisse fumée recouvrir les toits de la verrerie. Elle en cria de bonheur. Ainsi, la fabrique fonctionnait à nouveau ! Elle avait vu Colin s'y enfermer jour et nuit avec ses ouvriers, mais ne se doutait pas que ce jour fût si proche. Sitôt arrivée, elle se précipita vers l'atelier où tout le monde l'attendait pour lui faire les honneurs de la première coulée.

Ce fut un moment très émouvant. Chacun espérait, le cœur battant. Pourvu que la cheminée tire bien, que le mélange porté au four soit de composition parfaite ! Enfin, le doyen de l'équipe se pencha sur le brasier et cueillit la paraison pour la modeler en forme de bouteille, la souffler et la recuire. Puis, solennel, il l'offrit à la maîtresse des lieux, dans un tonnerre d'applaudissements.

A partir de ce moment, Colin passa ses journées devant ses fours. Il les entretenait sans relâche, s'évertuant à inventer des formes nouvelles, des bouteilles et des récipients divers pour la cuisine, et, très vite, du verre plat.

— Personne ne nous a demandé de vitrail ! le gourmanda Anne, les yeux brillants.

Colin essuya son front en sueur.

— Voyons, ma mie, il y a bien une ouverture à fermer

dans la maison. Je compte sur toi pour nous dessiner un joli thème. J'ai remarqué que le travail de la grisaille te faisait peur chez ton ami Grégoire. Je me ferai fort de te l'enseigner, si tu le veux bien.

Anne lui jeta un regard brillant d'émotion et aussi chargé d'un infini regret.

Pendant quelque temps, ces découvertes rendirent leurs journées trop courtes. Colin disparaissait du matin au soir à la fabrique, tandis qu'Anne s'évertuait à nourrir la famille et à tenir les comptes du ménage.

La manière dont elle gérait le domaine suscitait d'ailleurs bien des commentaires aux alentours. Dans ce pays déserté, puis repeuplé de façon sporadique, sur cette terre longtemps ensanglantée par des guerres de Religion, l'habitat restait dispersé, sans véritable solidarité. Les forains, ces nouveaux venus de passage, refusaient de participer aux charges locales et ne rendaient des comptes qu'au seigneur auquel ils s'étaient, pour un temps précis, attaché. Personne ne songeait à tirer le moindre bénéfice des parcelles octroyées. Ah, s'il n'y avait pas eu cette *tasque* prélevée sur les récoltes, se lamentaient-ils tous.

Or les habitants de la verrerie multipliaient, eux, les initiatives : plantation d'oliviers, remise en état des fabriques de verre, vente de produits frais sur les marchés. Anne appréciait cette dernière activité qui lui permettait de s'évader, de rencontrer de nouvelles têtes, souriantes en général, et plutôt portées sur la conversation. Elle avait ainsi lié connaissance avec le canebier de Lauris qui récoltait et filait lui-même son chanvre et lui donnait quantité d'informations sur la région. Cette bonhomie la changeait agréablement du mutisme renfrogné des villages de la Loire.

— Pourquoi ne pas planter de la vigne ? proposa-t-elle

un soir avec enthousiasme. On m'a dit que les Romains, qui s'y connaissaient, en avaient beaucoup par ici... Puis on pourrait planter également des mûriers à côté pour élever des vers à soie...

— En voilà une innovation, répondit Colin avec humeur.

Anne le regarda sans bien comprendre. Il devenait irascible depuis quelque temps, nerveux comme si quelque chose le tourmentait. Qu'est-ce donc ? se demanda la jeune femme. Lui refuserait-on de travailler le verre sous prétexte qu'il n'est pas compagnon en cet art ? Elle avait eu vent, en se promenant dans le village, de certaines rumeurs qui couraient sur Colin et des jalousies, surtout, que leur dynamisme suscitait.

Les provisions d'hiver engrangées et les labours d'automne terminés, Anne et Nicolette trouvèrent le temps de prendre du repos. Hélas. Nicolette prit froid en inspectant une dernière fois les champs et dut garder le lit, pestant contre la tramontane qui l'avait terrassée. Anne soigna sa belle-mère avec dévouement. Elle toussait des nuits entières au point qu'il fallut installer dans son lit des briques chauffées. Pierre, son époux, semblait préoccupé par l'état de sa femme, solide à la tâche et dure au mal d'ordinaire. Il suggéra même qu'on installe son lit dans l'atelier, ce que la malade refusa énergiquement.

Le médecin qu'on partit chercher à Cavaillon diagnostiqua une *toux de renard,* une infection à la poitrine, de pronostic fâcheux. Il se contenta de prescrire du bouillon et des infusions de bourrache pour faire sortir les *humeurs.* La malade demanda à rester seule avec sa bru.

— Je suis perdue, mon enfant, commença-t-elle. C'est mon heure de mourir et je partirai heureuse de vous savoir établis, surtout avec mon cher époux auprès de vous.

— Ne craignez rien, ma mère, répondit Anne, les yeux brûlants de larmes. Nous veillerons sur votre mari et je resterai auprès de vous jour et nuit pour achever de vous guérir.

La malade hocha la tête sans répondre. En essuyant ses lèvres secouées par une quinte de toux, quelques minutes plus tard, Anne découvrit avec horreur des taches de sang. Elle fit immédiatement poser un matelas sur le sol, à côté du lit de Nicolette, et se mit à lui parler sans cesse, du temps qu'il faisait, des récoltes et de la verrerie, des progrès de son petit-fils, comme pour l'obliger à vivre.

Nicolette la fixait, silencieuse, les yeux emplis de reconnaissance et aussi d'une lueur lucide et franche qui mettait la jeune femme mal à l'aise.

Ce nouvel automne se terminait enfin. Les branches aux feuilles d'or laissaient percevoir le bleu-gris du ciel, les canabis dépouillés étaient prêts pour la cueillette, les arbres fruitiers et les treilles cachaient quelques raisins, pommes ou poires oubliés. Anne décrivait inlassablement chacune de ces merveilles à la malade, s'appliquant à les faire revivre avec plus de talent encore que lorsqu'elle les recréait sous ses pinceaux. Une intimité naissait entre les deux femmes, au point qu'Anne se surprit un jour à évoquer ses secrets, ses craintes, ses remords... Elle jeta un œil sur l'expression d'indulgence et de bonté du vieux mais beau visage qui lui faisait face et, dans un accès de confiance, mentionna le viol qu'elle avait subi. Puis, devant la réaction affectueuse de la malade, révéla sa liaison avec Grégoire.

— Colin était toujours parti, plaida-t-elle, en sachant que la vraie raison n'était pas là.

Mais comment expliquer le miracle d'une rencontre, la

découverte, hélas tardive ! de cette harmonie mystérieuse qui peut unir deux êtres ?

— Si cet homme revenait dans votre vie, que feriez-vous ? interrogea seulement l'autre.

— Je serais forte, et lui aussi. C'est un homme bon et droit, déclara la jeune femme avec, là encore, le sentiment de ne pas dire la vérité.

Qui voulait-elle rassurer, la vieille femme ou elle-même ?

Le prêtre de Lauris ne tarda pas à venir au chevet de la malade. Le pavot l'avait calmée pour un temps, mais ses quintes de toux répétées l'affaiblissaient de jour en jour.

Le lendemain à la même heure, son cœur s'arrêta de battre, brusquement. Tous étaient à son chevet, le temps de recevoir une dernière fois l'éclat du doux regard. Ils s'inclinèrent devant la volonté de Dieu, sereins et tristes à la fois.

Devant la peine de son mari et de son beau-père, Anne prit les funérailles en main. Elle posa un voile noir sur le miroir de la chambre et accrocha une couronne de deuil à la porte du logis. La famille habitant trop loin, l'enterrement fut villageois et l'assistance nombreuse.

Colin et Anne y trouvèrent un réconfort. A sa façon, le village leur prouvait qu'il les avait enfin acceptés.

La mort de Nicolette fut ressentie par toute la famille comme une déchirure, en particulier pour Nicolas qui passait beaucoup de temps avec elle. Anne dut s'occuper davantage de son fils, le distraire et le promener. Pour se changer les idées, Pierre lui confectionna un tuteur de bois, muni de deux cercles à roulettes, qui lui permettait de se déplacer sans aide. On lui avait placé sur la tête un bourrelet de coton afin de lui éviter de se cogner. Nicolas devenait expert dans le maniement de l'engin et effectuait des glissades tout au long de la grande salle. Ses jambes se fortifiaient de jour en jour et, en le regardant, Anne sentait les larmes lui monter aux yeux. Ce petit était une bénédiction qui redonnait aux grands l'envie de vivre comme avant.

Anne s'était remise au dessin. Dès que les soins aux animaux étaient achevés et le travail distribué dans la maison, elle se retirait dans le grenier. Elle aimait ces moments de solitude où les fusains couraient sur le papier. Elle travaillait à un nouveau projet qui lui tenait à cœur. Il s'agissait d'un grand arbre de vie dont les racines étaient les grands-parents de Colin, le corps et les branchages leurs nombreux descendants dont les dates et noms s'inscriraient sur des phylactères. Elle était plongée dans les détails du feuillage quand elle entendit son fils hurler.

Elle s'élança dans l'escalier en courant et découvrit son fils dans les bras de son beau-père, bouleversé.

— Ma bru, tout est de ma faute, bredouilla-t-il, je réparais un baquet quand il est venu vers moi, il a basculé en butant sur un outil oublié.

— Ce n'est rien, grimaça la jeune femme, soudain très coupable. C'est moi la fautive, j'aurais dû le surveiller.

Elle sortit aux côtés de l'enfant, le gourmandant pour cacher son trouble.

## XIX

NICOLETTE avait rendu un dernier service à son fils, celui de le rapprocher de ses voisins. Sa mort avait prouvé, si besoin était, combien le jeune ménage s'était intégré au village. Néanmoins, l'activité de Colin soulevait bien des doutes. Et s'il allait détériorer les bois voisins pour remettre ses fours en état ? Chacun savait qu'il fallait chaque jour plusieurs salmées de bûches pour alimenter un seul four. D'ailleurs, était-il maître verrier pour dévaster ainsi la forêt ?

Ces rumeurs, entendues çà et là pendant ses courses au village, déplurent à la femme de Colin. Elle insista auprès de lui pour qu'il régularise sa situation.

Colin regimba, puis finit par se rendre à l'évidence et fit le voyage jusqu'à Apt pour prendre conseil auprès des anciens. Certes, il possédait un droit d'habitation et d'utilisation de la verrerie, mais il lui manquait le titre officiel de maître verrier pour continuer à pratiquer cet art en toute légalité. Il lui fallait effectuer un stage chez un homme ayant ce grade. Colin revint, pensif, sans parler à quiconque de la décision qui mûrissait en lui.

Un matin où Anne surveillait le nettoyage du poulailler, elle entendit des exclamations monter depuis la cour.

Grégoire était là, qui buvait le vin du pays en compagnie de Colin et de son père !

Elle s'efforça de masquer le trouble qui montait en elle et parvint à articuler quelques paroles de bienvenue. Grégoire la fixait avec une intensité si grande que Colin fronça les sourcils.

— Maître Grégoire passait par là et il a eu la bonne idée de nous rendre visite. Nous allons lui montrer les fours, pour lesquels il peut nous être d'une grande utilité.

Il appuya ces derniers mots d'un clin d'œil à son épouse et elle comprit. Si Colin se montrait accueillant, en dépit de sa méfiance pour Grégoire, c'est qu'il attendait du compagnon aide et conseil dans le travail du verre.

Elle s'efforça d'adopter un ton neutre.

— Je crois, monsieur, que vous nous serez d'un grand secours, en effet.

Tandis qu'il suivait Colin vers l'atelier, Grégoire s'interrogeait sur l'air impénétrable de la maîtresse de maison. Était-elle heureuse de le revoir, sa nouvelle vie la comblait-elle au point qu'elle n'avait plus besoin de lui ? Il décida d'accepter l'invitation de Colin pour en avoir le cœur net.

— Voici une grande nouvelle, lança Colin pendant le dîner, Grégoire reste travailler avec nous !

Anne se crispa. Elle avait tant lutté pour reconstruire son équilibre, pour bâtir une vie sereine et équilibrée avec Colin, pour chasser certaines images de sa mémoire. Pourquoi Colin la mettait-il ainsi à l'épreuve ?

— Grégoire étant maître verrier, je ferai mon stage chez moi, ajouta Colin en lui fournissant la réponse. N'est-ce pas ?

Il se tourna vers Grégoire qui posa un regard inquiet sur le visage sans expression d'Anne.

— J'avais l'intention de descendre jusqu'en Italie pratiquer mon art chez les Ferri, grande famille dans le métier du verre, mais je puis effectivement m'arrêter ici, le temps de former maître Colin. Toutefois, j'attends l'approbation de Mme Arquial... murmura Grégoire d'un ton presque suppliant.

Anne se taisant toujours, Colin parla pour elle.

— Ma femme est enchantée de vous recevoir à la verrerie.

— Il n'en est pas question, protesta Grégoire qui scrutait avec anxiété le visage de la jeune femme. Je logerai au village, il y a bien une chambre près d'ici !

Anne rougit, saisie malgré elle par la vision fugitive, si attrayante, d'une chambrette sous les toits, très loin, à l'abri des regards indiscrets. Pars, Grégoire, laisse-moi en paix, voulut-elle crier, mais elle resta muette, trop consciente que Colin avait besoin du maître verrier pour acquérir son titre...

— Comme vous voulez, conclut Colin d'un ton jovial. L'essentiel est que nous soyons unis au travail comme dans une grande famille. Pour preuve, à partir de maintenant, nous nous adresserons les uns aux autres par nos prénoms.

— Pourtant, maître Colin, vous n'aimiez guère que je prononce celui de votre épouse, glissa Grégoire non sans malice.

— Oublie cela, Grégoire. Tu as devant toi Colin, Pierre et Anne.

Quelques semaines s'écoulèrent tranquillement. Grégoire eut tôt fait d'amener Colin au titre de compagnon et ce dernier lui en fut infiniment reconnaissant. D'ailleurs, les allées et venues quotidiennes du visiteur dans la verrerie se déroulaient sans encombre, presque sans gêne pour Anne.

Grégoire semblait avoir oublié leur aventure de Champigny. L'homme qui s'était montré si émouvant quand il discourait avec passion sur les nuances des bleus de Chartres, des rouges de Paris, des jaunes de Bourges et de la Sainte-Chapelle, se montrait un maître inflexible envers les équipes qui se relayaient devant les fours.

Un soir, en soupant, Colin proposa à sa femme :

— Nous essayons de nouveaux mélanges pour trouver le brun qui conviendrait à l'arbre de ton vitrail. Veux-tu venir voir ?

Devant les flammes du foyer, les silhouettes de Colin et de Grégoire se détachaient : tous deux ruisselaient de sueur dans leur longue chemise et affrontaient les souffles brûlants des fours, dans un scintillement de verre éblouissant. Fascinée, la jeune femme les regardait s'agiter comme dans un rêve, ces deux êtres qu'elle aimait différemment, auxquels elle était attachée par la famille et, aussi, la passion du métier.

Lequel préférait-elle ? Le choix était douloureux. Par moments, elle avait envie d'aimer Grégoire à nouveau, de revivre la profondeur de leurs étreintes, cet oubli délicieux qui fondait sur elle quand il la prenait dans ses bras. A d'autres, elle aurait voulu l'oublier et rester la femme de Colin Arquial à jamais.

Un frôlement la fit tressaillir. Grégoire s'était reculé pour reprendre son souffle entre deux opérations et venait de lui caresser la main. La pression était légère, furtive, mais le cœur de la jeune femme s'arrêta de battre. En un instant de passion, elle souhaita que tout recommençât comme à Champigny. Elle se reprit non sans se demander si l'ouvrier qui la fixait depuis le fond de la pièce, un certain Josias, avait remarqué son trouble.

— Pourquoi l'avez-vous mis à l'écart ? demanda-t-elle à Colin en désignant l'homme qui la regardait toujours, impassible.

— Le bonhomme est désagréable depuis quelque temps, intervint Grégoire d'un ton bref.

Anne crut discerner dans sa voix un accent d'inquiétude, mais ne tarda pas à le chasser de son esprit. Elle ne voulait se souvenir que de la douceur d'une pression de main. Toutefois, l'expression butée du petit homme la hantait.

Quelques jours plus tard, Josias demanda une entrevue à Colin et lui annonça, solennel, qu'il désirait le quitter, en emmenant avec lui son équipe. Quelque chose le dérangeait.

Malgré les injonctions de Colin, surpris, il ne voulut pas donner de détails. Anne reçut cette information avec un sentiment de malaise dont elle aurait été bien empêchée de donner les raisons. Elle se sentit émue au point d'en parler à Grégoire.

— J'ai peur de cet homme, Grégoire, lui confia-t-elle un soir qu'elle l'avait guetté sur le chemin qui le ramenait au village.

— Tu as raison, lui confirma son ami.

Devant l'expression d'angoisse qui se peignait sur le visage de la jeune femme, il expliqua :

— Je l'ai vu parler plusieurs fois au village avec un compagnon dont les traits me disent quelque chose... Il me semble l'avoir déjà vu sur le chantier, à Richelieu. Pourvu qu'il n'aille pas se répandre sur notre compte !

— Je ne veux pas que Colin soit malheureux ! s'écria Anne dans un accès de panique.

Elle se tut soudain. Son mari venait d'apparaître au bout du sentier.

— Anne ! Je te cherchais partout. Qui ne doit pas être malheureux ?

— Ton père, répondit précipitamment la jeune femme.

Grégoire me disait qu'il l'avait croisé tantôt et qu'il l'avait trouvé bien soucieux...

Colin hocha la tête sans répondre et, après un vague salut, prit sa femme par le bras et la ramena dans son logis.

Grégoire venait de quitter Anne, soucieux, et traversait le bois de la Plane Sainte-Marguerite pour couper au plus court, quand il fut rejoint par un homme qui lui barra la route. C'était Josias.

— Tu es au courant, je pense, commença l'homme d'un ton mauvais. Je termine le vitrail et ensuite je file. Deux patrons, c'est trop pour moi. Surtout, quand on ne connaît pas le rôle exact de l'un...

— Que veux-tu dire ?

Un sourire torve passa sur le visage de l'autre.

— Si tu restes, c'est pour la femme...

— Comment oses-tu ? protesta Grégoire, rouge d'indignation.

— Ne fais pas le malin, on m'a tout raconté. Vos petits jeux à Champigny, quand le mari était en voyage, les retrouvailles sur la mousse... Ah, je sais bien des choses, mais je ne dirai peut-être pas tout, ça dépend si tu es gentil... As-tu dix écus ? demanda-t-il avec insolence.

— Euh, sans doute, balbutia Grégoire qui avait blêmi. Mais quelle preuve as-tu...

— Des preuves !

Il éclata de rire et souleva sa chemise, dévoilant un morceau de tissu que le verrier reconnut aussitôt. C'était un petit châle qu'Anne portait à Champigny et qu'elle avait perdu une nuit dans le bois. Ils ne l'avaient jamais retrouvé.

— Joli, non ? fanfaronnait l'autre. On a toujours raison de se couvrir quand on sort dans les bois la nuit... Surtout si l'on ne reste pas vêtu bien longtemps !

C'en fut trop.

Grégoire se précipita sur l'homme sans réfléchir, lui arracha le fichu des mains. L'autre se débattit, sûr de son fait, en lâchant d'autres insinuations vulgaires. Une mêlée confuse s'ensuivit. Grégoire frappait violemment, aveuglé par la rage, le désespoir de savoir Anne ainsi compromise.

Soudain, il eut l'impression de frapper un corps inerte. Il se releva d'un bond, contempla l'homme étendu sur le chemin. Il avait sous les yeux un cadavre.

Grégoire se passa la main sur le front, s'agenouilla. Il venait de tuer un homme.

Pétrifié, il fixait le corps quand le cri d'un oiseau le fit sursauter. Il jeta un coup d'œil pour s'assurer que la scène n'avait pas eu de témoin, puis, d'un geste brusque, arracha le fichu des mains du mort.

Il regagna sa chambre au village, dissimula le morceau de tissu sous sa paillasse et se coucha. Il grelotta toute la nuit.

Le lendemain matin, à la verrerie, il parvint à donner le change, s'étonnant avec les autres de l'absence de Josias. Le travail se traîna dans l'attente de son arrivée. Enfin, à l'angélus de midi, un gamin de Puget accourut annoncer que le corps de l'ouvrier avait été découvert dans un bois, non loin du village.

— De quoi est-il mort ? interrogea Colin.

— D'une rixe, on dirait, on a retrouvé des traces de lutte sur le sable du sentier. On rasera le bois, ajouta le gamin tout fier, c'est la coutume.

Pendant les jours qui suivirent, les commentaires allèrent bon train. On pensa à une rencontre nocturne, à un règlement de comptes entre ouvriers, mille hypothèses s'échafaudèrent. Puis, le temps passant, d'autres faits occupèrent l'attention. Josias n'était pas du pays, son comportement taciturne n'en avait pas fait un homme aimé, on oublia le drame.

Seul Grégoire n'oubliait pas. Son comportement changeait. Il n'était plus le compagnon affable et gai qu'on avait connu. Il devenait taciturne, acariâtre, repoussant les avances de Nicolas qui, auparavant, le réjouissaient tant. Anne s'effrayait de cette évolution. Elle contemplait le beau visage, autrefois aimé, qui se durcissait aux mâchoires, elle voyait avec angoisse les cernes noirs envahir ses joues. Qu'arrivait-il ? N'y pouvant plus tenir, elle profita d'une pause dans le travail pour fixer un rendez-vous à son ami, un jour où Colin s'absentait au village voisin pour recruter de nouveaux ouvriers. Il se méfiait de l'équipe de Josias dont il s'était séparé.

— Avec de nouveaux ouvriers, tout ira plus vite, avait-il affirmé à sa jeune femme, en s'efforçant d'oublier le regard de haine que lui avait lancé un de ceux qui partaient.

Anne arriva au lieu de rendez-vous en carriole. Grégoire s'élança, brusquement soulagé, et avant qu'elle ait pu parler, lui confia tout, depuis le commencement. Anne fut gagnée d'un tremblement et dut arrêter la voiture au bord du chemin. Il la pressa contre lui pour la réconforter.

— C'est terrible, Grégoire. Nous avons tué un homme, une créature de Dieu !

— Il le fallait Anne, cet homme aurait eu raison de ton bonheur.

Anne se serra contre Grégoire.

— Tu n'as pas pu faire autrement, je sais, mais si lui est au courant, d'autres le sont aussi...

— Ne crains rien, je me suis renseigné. L'autre compagnon qui avait informé Josias est loin, en Italie. Il ne peut plus rien faire, de toute façon, maintenant que le foulard est entre nos mains.

La jeune femme soupira.

— Que comptes-tu faire ?

— Partir. Mais auparavant, j'aimerais passer quelques instants avec toi, si tu en es d'accord.

Sa voix s'était faite douce, son bras caressant. Anne sentit sa volonté s'amollir quand, soudain, une fumée qui montait par-dessus le col de la Croix attira son regard.

La verrerie était en flammes.

# XX

LE soleil d'automne rougissait avec le feu. Sur le fond noir de la montagne, le toit de la fabrique flambait comme une torche. Anne et Grégoire s'élancèrent à travers les terres. La fumée leur piquait les yeux. Anne se précipita dans la maison et ne respira que lorsqu'elle vit Nicolas installé dans les bras de son grand-père.

— Soyez sans crainte, l'apaisa ce dernier, nous sommes tous saufs. Le feu a pris dans la fabrique.

— Les ouvriers n'ont rien pu faire ?

— Non, seulement mouiller la cour pour éviter que l'incendie ne gagne le logis, et mettre les verres à l'abri. Heureusement que nos voisins du Puget nous ont prêté renfort ! Ils ont fait sonner les cloches, ne les avez-vous pas entendues ?

— Non, mon père, bredouilla Anne, confuse, je n'ai pensé qu'aux flammes... A propos, qu'ai-je fait de mon sac ?

— Vous l'avez au bout du bras, l'apaisa le vieil homme. Quel dommage que Grégoire ne soit pas là, il nous serait bien utile...

— Mais il est là, lança Anne étourdiment, nous venons de rentrer !

Pierre retrouva le jeune homme devant la verrerie, luttant avec les autres. Hardiment, il attaquait le four à l'aide d'une masse afin d'arrêter le brasier. Lorsque les briques cédèrent, il eut à peine le temps de se reculer. Chacun le crut pris sous l'amoncellement des pierres. Seul le grand-père eut la présence d'esprit de lancer un seau d'eau sur ses vêtements en feu. Les mains ensanglantées, cheveux et sourcils brûlés, visage noirci, Grégoire était méconnaissable. Anne se précipita vers lui en hurlant. Faisant fi de toute pudeur, elle lui prit la main et l'entraîna dans la maison, ôta sa chemise en lambeaux, posa sur la peau calcinée des compresses d'huile d'olive. Puis, comme elle l'avait vu pratiquer à Champigny, elle esquissa un signe de croix sur sa brûlure et se signa. Son beau-père lui jeta un regard attentif, et lui amena peu après un ouvrier blessé aux mains, puis un autre au visage lacéré par le fer. Anne s'affaira, usant dans cette tâche d'infirmière toute la pharmacopée familiale — pétales de lis pour les coupures, décoctions d'arnica pour les meurtrissures, onguents gras pour les brûlures.

Enfin, une odeur de fumée humide signa la fin de l'incendie. Les hommes entrèrent, un à un, s'effondrèrent aux côtés des blessés qui reposaient sur le sol. Anne circulait, des brocs de vin et d'eau entre les mains. Heureusement, on ne comptait pas de mort d'homme.

— Mais où sont-ils ? s'écria soudain un ouvrier.

— Qui donc ? interrogea Pierre.

— Les compagnons de Josias, il en restait deux ! s'exclama l'autre. Ils sont sortis par la petite porte dès le début de l'incendie, je leur ai d'ailleurs reproché de la laisser ouverte, à cause de l'appel d'air.

Les hommes se jetèrent des regards lourds d'un soupçon inavouable. Anne sentit la tête lui tourner. Grégoire, toujours inconscient, ne lui était d'aucun secours.

Les blessés furent reconduits en carriole par le valet, les ouvriers organisèrent un tour de garde pour la nuit. Les servantes couchèrent Nicolas, très excité. Anne insista pour qu'on la laisse soigner Grégoire. Il s'est montré tellement héroïque, plaida-t-elle auprès de son beau-père qui s'inclina sans plus de commentaires.

Le blessé délirait. Anne et Pierre se relayaient à son chevet, alternaient onguents, compresses et eau de bleuet pour soulager ses yeux. Ils se taisaient, mais tous deux ne pensaient qu'à la réaction de Colin à son retour.

— Avez-vous des doutes sur les criminels ? lança Anne à son beau-père.

— En effet, ma bru, je me pose des questions, répondit-il, d'un air las.

— Seraient-ils partis après une négligence ?

— Négligence ? Vous êtes naïve, je parlerais plutôt de malveillance ! rétorqua l'autre. Ces hommes avaient demandé à voir Colin pour lui faire une révélation d'extrême importance après la mort de Josias. Il n'a pas voulu les recevoir, alors ils se sont vengés.

— Et ils ont disparu ? interrogea la jeune femme, le cœur serré d'émotion.

— Oui. Sans doute c'est ce qu'ils ont fait de mieux, n'est-ce pas ?

Anne souleva une compresse dans la bassine, impuissante à soutenir son regard.

Enfin, le jour sortit du néant. Plantée aux côtés de son beau-père, Anne contemplait les ruines, ces murs noircis, ces flaques boueuses, la cour saccagée, les seaux abandonnés après la lutte.

— Anne, Grégoire a parlé pendant son délire, l'informa Pierre lorsqu'elle regagna le logis pour préparer la soupe des compagnons qui avaient veillé toute la nuit sur le chantier.

— Qu'a-t-il dit ? interrogea la jeune femme, bouleversée.

— Des mots sans signification : il a parlé d'amour sans espoir, qu'il fallait partir. Des propos de malade, ne t'émeus pas à ce point.

Quand il la prit dans ses bras pour recevoir ses pleurs, Anne comprit qu'elle était pardonnée. Il ne restait plus qu'à attendre Colin..

Le soir tombait quand son cheval hennit dans la cour. Anne se précipita à l'extérieur et se jeta dans ses bras.

— Nous sommes tous saufs, sois sans crainte.

— Assieds-toi, je vais t'expliquer, ordonna son père.

Colin obéit, le visage figé, sans expression. Il ne s'émut qu'à l'instant où l'on mentionna l'état de Grégoire, le combat que l'héroïque compagnon livrait contre la mort.

— Il faut faire venir un médecin ! s'écria-t-il.

— Nul besoin, le coupa son père. Anne est la meilleure des garde-malades, Grégoire n'a rien à craindre.

Il accompagna ce jugement d'un clin d'œil amical qui rassura la jeune femme.

La nouvelle de la bravoure qu'avait déployée Grégoire devant les flammes fit bientôt le tour du village. On accostait Colin pour le féliciter de la vaillance de sa femme et lui demander des nouvelles du blessé. Au bout de quelques jours, Grégoire se remit à s'alimenter et les plaies de ses mains commencèrent à cicatriser. Il put enfin s'asseoir à la grande table, devant le petit Nicolas qui, tout joyeux, se mit à battre des mains.

Très vite, il demanda à participer aux travaux de réfection de l'atelier.

Colin et lui y passèrent toutes leurs journées, transférant les fours laissés intacts dans la deuxième aile du bâtiment, aménageant cette dernière pour le travail du verre. On ne retrouva pas les criminels. On pensait qu'après leur fuite du village ils s'étaient réfugiés au château de Buoux, toujours avide de forces nouvelles pour défendre son emplacement stratégique, sur le passage vers l'Italie.

Noël approchait. Grégoire n'avait encore formulé aucun désir de partir et Anne reprenait espoir. Peut-être continueraient-ils à se voir. Depuis l'incendie, en effet, ils n'avaient passé aucun moment seuls. La mémoire de leur faute et de ses funestes conséquences restait trop présente.

— Voulez-vous que je vous fabrique des santons ? lança Grégoire, un soir qu'ils étaient tous réunis autour de la table.

— Qu'est-ce que c'est ? demanda Anne tandis que Nicolas, qui aimait beaucoup le compagnon, battait déjà des mains.

— Des sortes de poupées, certaines constituées d'une armure de fer sur laquelle on enfile des vêtements, la tête et les mains étant, elles, modelées sur de la terre cuite. Mais il en existe aussi en ivoire, en mie de pain, en argent même ! Cette mode qui nous vient d'Italie illustre si bien les paroles du Christ !

— Est-ce vraiment nouveau ? interrogea Anne, toujours curieuse. Les statues de pierre, dans les cathédrales, racontent déjà les épisodes de la vie de Jésus.

— Oui, mais là, les acteurs sont des gens simples, des bergers, des paysans, de simples mortels en qui chacun peut se reconnaître. C'est pourquoi ils font le bonheur des familles qui peuvent disposer chez elles d'un théâtre miniature. Acceptez que je vous les fabrique, supplia Grégoire, le regard ardent, ce sera mon cadeau de départ. Car je ne vous en ai pas encore parlé, mais je m'en vais à la fin de la semaine pour l'Italie... destination que je m'étais initialement fixée.

Anne baissa la tête et s'en fut, sous un prétexte domestique, pleurer dans la cour.

Puis elle admira les figurines de verre filé, les vieux métiers qui renaissaient sous la main de Grégoire, en particulier le joueur de galoubet, cette flûte typique de la région. Les jours suivants, elle fit comme Nicolas qu'émerveillait le travail de l'artiste : elle ne le quitta pas.

# XXI

Grégoire partit un matin. Il avait décidé de prendre la route des crêtes, de préférence à la combe de Lourmarin, et Colin avait tenu à lui faire un bout de conduite sur le chemin du muletier.

— Je le laisserai au Pied-de-l'Aigle, dit-il à sa femme pour la rassurer. Les chemins sont dégagés, il n'y a pas de risque d'embuscade.

Les adieux furent simples. Le matin se teintait de rose et le froid était sec. Pierre, Anne et Nicolas, réunis sur le seuil, les suivirent des yeux jusqu'au premier coude du chemin où une conduite gallo-romaine apportait l'eau jusqu'au bassin de la cour. Les deux compagnons lancèrent leurs chapeaux en l'air, les rattrapèrent au vol. Le chemin fut bientôt vide, et l'air glacé glissa sur les épaules d'Anne. Elle se sentit vide.

Grégoire, la veille, les avait entraînés, Colin et elle, dans une longue promenade autour de la bastide. Ils avaient échafaudé mille projets. Grégoire, profitant de son séjour en Italie, passerait maître dans son art ; Anne dessinerait pour les plus grands verriers ; Colin s'enorgueillissait de donner à Nicolas, son fils, un métier tout trouvé. Plus calme que les deux autres, il avançait, n'ayant d'yeux que pour les terres autour de son domaine, ces champs qu'il voulait planter de vignes et d'arbres fruitiers pour accroître la prospérité des lieux.

Tandis qu'il marchait devant eux pour désigner les meilleures terres, les deux amants avaient échangé un regard. Dans quelques heures, ils seraient séparés l'un de l'autre, à jamais !

Anne ne pouvait l'admettre.

Quand il lui serra le bras, elle sut qu'elle le retrouverait la nuit suivante dans la fabrique désertée. La paille qu'on avait déposée pour protéger les ustensiles restants leur servit de matelas. Ils s'aimèrent avec des larmes, sans remords. Grégoire avait déployé la fougue réfrénée pendant des mois et Anne avait cru perdre la tête. Elle avait mordu l'épaule de son ami pour étouffer les cris qui montaient en elle, cet appel infini du plaisir.

Plus tard le verrier avait bu une à une les larmes qui coulaient sur le visage de sa bien-aimée.

— Je n'ai pas honte, avait murmuré celle-ci. Il fallait que notre adieu fût à la hauteur de notre amour. Je ne vole rien à Colin. Le bonheur que tu me donnes est d'un autre ordre. Il ne souffrira jamais, je resterai toute ma vie à ses côtés.

Grégoire lui baisa la main. Ce furent leurs dernières paroles.

Le soir, Colin regagna le logis, riche de détails amusants sur son voyage dans la montagne. Le temps reprit ses droits et les journées leur cours habituel. Souvent, les deux époux parlaient de Grégoire, s'étonnant de ne pas encore avoir de nouvelles du voyageur.

— Bah, les jolies Italiennes l'auront retenu d'écrire, plaisantait Colin d'un ton léger.

Anne ne disait rien, mais jour après jour l'angoisse montait en elle.

Quand vint mars, elle sut qu'elle attendait un enfant. Le premier trouble passé, elle se persuada que son mari en était le père. Pierre et Colin se réjouirent sans méfiance. Ils n'avaient pas la malveillance des commères qui s'empressent de compter sur leurs doigts quand on leur annonce une naissance. Anne évitait de réfléchir.

Le doute couvait dans sa conscience que cet enfant avait été conçu la nuit des adieux, qu'il pourrait bien être le fils du voyageur. Or cette pensée, au lieu de l'attrister, la comblait infiniment. Elle y songeait souvent, et à ces moments saisissait ses fusains et s'évadait pour de longs travaux solitaires.

Jamais le soupçon ne l'effleura qu'elle ne reverrait jamais le père du petit qui lui donnait, déjà, tant de joie.

Après avoir quitté Colin, Grégoire s'était dirigé vers les crêtes. Il était descendu à travers un maquis de chênes verts, remonté une pente dont les caillasses roulaient sous ses pieds, s'était arrêté, étourdi par le paysage grandiose qui s'offrait à ses regards.

A ses pieds, la plaine de la Durance s'étalait de Sainte-Victoire aux dentelles de Montmirail, en une harmonie de couleurs qui mêlait les verts foncés et les verts clairs en un camaïeu précieux, une teinte subtile, fragile presque. Sur le plateau que formaient les alluvions et les galets rejetés par la Durance, on apercevait la verrerie et la Boîte, une bastide voisine, comme écrasées par le soleil. Il se prit à rêver, à ce décor enchanteur, aux temps anciens, aux combats dont il avait fourni le décor, à la femme aimée, aussi, dont la maison se cachait derrière la colline.

Soudain, un fracas de branches le fit sursauter, une galopade, accompagnée de la menace de souffles courts. Des sangliers avaient surgi, une harde violente, aveugle. Le premier le chargea et le piétina, le deuxième, furieux de l'obstacle qui s'était glissé en travers de son chemin, laboura de ses défenses le corps, si fragile, de l'homme. De ses coups de boutoir, il le poussa vers le précipice. Dans un ultime effort, Grégoire s'agrippa à une touffe de chênes verts et résista quelques instants. Le sang, sucré et âcre à la fois, lui emplissait la bouche, son corps se tordait de mille souffrances. Il parvint à crier, tout en sachant qu'il était seul et que l'attendait une mort affreuse. Les naseaux écumants, la bête grattait le sol au bord de l'abîme, prête à charger de nouveau.

Lentement, la main de Grégoire glissa. Il partit dans le vide. Le ciel du Luberon tournoya au-dessus de lui. Il perdit connaissance. Il se réveilla à l'approche de la nuit, gisant sur la terre froide, incapable de se lever. Il voyait Anne dans son atelier, Anne dans ses bras... Il voulut crier son nom mais aucun son ne sortit de sa gorge. Peu à peu, il eut l'impression de sortir de son corps, de s'envoler loin, d'emporter la jeune femme, pour toujours, avec lui...

Déjà, dans le ciel, la ronde des vautours avait commencé.

## XXII

APRÈS le départ de Grégoire, Anne se perdit dans le travail, de jardinage notamment. Pâques approchant, elle attendait les floraisons que lui avait enseignées sa belle-mère Nicolette, ces ressources de beauté et de santé qu'offrent les plantes. Les iris violets et roses illuminaient le jardin, ce livre à ciel ouvert dont Anne se piquait de déchiffrer les secrets. Le bleuet lui parlait de son amour secret, l'anémone lui en rappelait la fragilité, la giroflée la consolait de son affliction. Le muguet qui ne poussait point démontrait que la passion n'était plus de saison. Vivre auprès de ses plantes procurait à la jeune femme un bonheur tranquille. Elle profitait de la compagnie de son mari et dessinait en attendant la naissance de l'enfant qui devait arriver en octobre, après les vendanges. Pierre lui fabriquait un berceau et Nicolas se réjouissait à l'avance de la compagnie de ce petit frère.

Anne voulait croire qu'il coulait des jours heureux en Italie, mais qu'il rentrerait un jour. S'il ne donne pas de nouvelles, c'est par discrétion, se rassurait-elle quand le doute l'assaillait. Colin ne quittait la maison que pour se rendre à Apt vendre les produits de la verrerie et réparer les sculptures de l'église de Vaugines, cette chapelle romane enfouie sous les platanes. Il oubliait le monde extérieur au point d'accueillir avec indifférence la nouvelle de la mort de Richelieu, puis celle de Louis XIII. Il attendait la naissance de son deuxième enfant.

L'été passa, sans événement notable. Puis vint le grand jour. Anne se rendit dans la grand-salle, près de la table où Colin préparait ses projets de sculpture. En la voyant arriver, il s'empressa de cacher un objet sous le meuble et rejoignit rapidement sa femme.

— Colin, comme j'aimerais te donner un fils, lui glissa Anne dans un doux sourire.

— Ma mie, va t'allonger, s'exclama Colin, très ému. Dis aux servantes de mettre l'eau à chauffer, je vais prévenir les voisines.

Anne se mit à arpenter la salle du bas, où l'on avait installé un lit. Elle ne pensait qu'à l'enfant et, pour la première fois, à cette ressemblance qu'elle s'était jusqu'ici refusée à envisager. Et si cet enfant avait les traits de Grégoire ? Tant pis, se raisonnait-elle, je partirai avec lui, les trois Arquial se débrouilleront sans moi. De toute façon, Grégoire n'est pas loin, il sait que la naissance est proche, il va venir me chercher, nous fuirons ensemble, avec l'enfant.

Elle marchait, s'arrêtait, reprenait, divaguait un peu. Grégoire était un homme courageux, qui n'hésiterait pas à affronter ses responsabilités.

Soudain elle gémit, porta la main à son front brûlant.

— Vous êtes bien chaude, lui dit une matrone sur un ton de reproche. Il va falloir vous étendre sur le sol, vous n'aurez pas la force de monter sur le lit.

Elle se pencha sous la table et, à sa grande surprise, Anne vit surgir le sac de Grégoire.

— Qu'est-ce que c'est ? s'interrogea la matrone. De loin, je l'avais pris pour une couverture.

Anne se mordit les lèvres, écrasa sa main contre sa bouche. Pas de doute, c'était la besace de Grégoire !

Malgré son état de semi-inconscience, elle sut que son ami était mort, qu'on lui avait tu sa disparition pour ne pas l'inquiéter, pour la laisser accoucher tranquille. Sa pauvre tête échafaudait mille hypothèses, une rixe sur le trajet, un guet-apens dans la montagne, un accident...

Jamais Grégoire ne reverrait son enfant. Ce constat la frappa comme un coup de fouet. Le petit n'aurait peut-être pas les yeux bleus comme chacun des membres de la famille Arquial, il serait un Arquial, pourtant. Elle se tairait, dans l'intérêt de l'enfant désormais.

L'ironie de sa position lui apparut. Quand Nicolas était né, on avait prétendu que Colin n'en était pas le père, alors que sa paternité ne faisait pas de doute. Aujourd'hui personne ne s'interrogeait, alors que cette éventualité devenait certitude. L'enfant tardait à venir, comme si les craintes de sa mère le gardaient prisonnier au fond d'elle. Enfin, les matrones appuyèrent de tout leur poids sur son ventre, une douleur terrible, intolérable, l'irradia tout entière. Elle s'évanouit.

Au réveil, une voisine lui secouait devant les yeux un garçon. Elle ne distingua pas tout de suite ses yeux. Elle s'assoupit et lorsqu'elle reprit conscience quelques heures plus tard et put le prendre dans ses bras, elle découvrit qu'ils n'étaient pas bleus.

— Qu'importe, commenta Colin, tant de couleurs se sont succédé dans notre famille !

Ces mots redonnèrent confiance à la jeune femme qui, quelques jours plus tard, eut le courage de demander des nouvelles de Grégoire.

— Je ne voulais pas t'attrister en un tel moment, soupira Colin. Grégoire ne reviendra pas. On nous a rapporté son sac, on l'a trouvé là-haut, dans le bois, sur la crête.

— Sait-on ce qui s'est passé ?

Colin eut un geste d'impuissance.

— Hélas, nous l'ignorons. Un accident, une bête féroce, sans doute. Ne pleure pas, ma mie, il était notre ami à tous les deux, n'est-ce pas ? Je suis aussi triste que toi.

Anne ne reparla jamais de Grégoire à son époux. Elle vivait avec son secret, dans l'intérêt des siens. Car les Arquial avaient atteint une douce plénitude, un quotidien dense et austère, animé par le labeur et aussi le soin des enfants. Les petits s'adoraient et passaient tout leur temps ensemble. Nicolas s'intéressait beaucoup aux dessins de sa mère et s'efforçait de les reproduire dès qu'il en avait l'occasion. Paul suivait avec fascination les gestes de son père.

— Il deviendra sculpteur, affirma Colin un soir. Dommage qu'il ait les mains si longues...

— Mais non, regarde celles de sa mère, rétorqua Pierre d'un ton léger.

Anne rougit, avec dans la mémoire le souvenir des mains, si belles, si nobles, de l'homme qu'elle avait aimé. On n'échappe pas à son passé, se dit-elle, tout en s'interrogeant sur la remarque de son beau-père. L'idée la traversa qu'il pouvait se douter de quelque chose.

Elle put s'en assurer un soir. Ils étaient assis tous les deux sur un banc de pierre, adossé au mur de façade, et attendaient Colin, parti livrer une sculpture au château de Lauris. Les deux enfants jouaient sous leurs yeux dans la cour.

— Quelle vie chez ces deux petits êtres ! fit remarquer le vieil homme. Regardez comment le petit Paul s'agrippe aux jambes de son grand frère ! On dirait Colin, au même âge.

— Est-ce que ses enfants lui ressemblent ? lança la jeune femme dans un élan de courage.

— Bien sûr, même si aucun des deux ne possède cette déformation au doigt qui m'a convaincu que j'étais bien le père de mes enfants. Mais les ressemblances sautent souvent les générations, n'est-ce pas ?

Il la fixa soudain et dans ce regard, indulgent et brillant d'affection, elle comprit qu'il savait, qu'il avait toujours su, mais qu'il ne parlerait jamais. Elle contempla ce noble visage, et dans un élan de reconnaissance, s'inclina sur la main du vieil homme.

— Eh bien, je vois que j'arrive à point, lança soudain Colin.

Il était entré en sifflotant, porteur d'une heureuse nouvelle qu'il exposa avec enthousiasme. On lui avait confié la reconstruction des buffets d'eau du château, le calcaire de ces fontaines ne s'étant pas montré assez résistant. Désormais, c'est à Calissanne, près du Rhône, plutôt que dans la région, qu'on irait chercher une pierre plus froide, qui conviendrait aux margelles.

— Si j'emmenais Nicolas ? proposa Colin. Il verrait comment on travaille.

Pierre et Anne se récrièrent aussitôt. L'enfant était beaucoup trop jeune.

— Soit, admit Colin, je me consolerai plus tard avec Paul. Je sens que celui-là aura ma science de la pierre.

Anne ne put s'empêcher de sourire. Colin garderait ses deux fils égaux dans son cœur et le talent de la pierre passerait chez celui qui, pourtant, n'aurait guère dû le recevoir par le sang.

Quelques jours plus tard, Pierre mourut, comme si, ayant apaisé la conscience de la jeune mère pour toujours, sa présence n'était plus nécessaire à la verrerie.

Il partit un matin en promenade en compagnie de Nicolas. Ils empruntèrent le chemin du muletier, un trajet qu'ils connaissaient, par bonheur, tous les deux. Soudain Pierre s'immobilisa et, saisi d'un long, d'un terrible frisson, s'effondra sur le sol. A terre, il eut la force de saisir la main de l'enfant et, dans un souffle, de le conjurer de ne pas s'affoler. Quelques minutes passèrent.

Il reprit des forces et se releva, tenta de marcher à nouveau. Il avançait très lentement, la poitrine lacérée par la douleur. Cent fois il crut tomber et se retint à temps à l'épaule de l'enfant. Il ne parlait pas, concentré, et n'avait qu'une crainte, celle de ne pas ramener le petit à son foyer. Soudain, un aboiement le remplit d'espoir. Le chien de la maison ! soupira-t-il. Sans plus attendre, il expliqua longuement, patiemment à l'enfant qu'il fallait qu'il s'agrippe au collier du chien et qu'il le suive. En arrivant, il préviendrait sa mère que lui-même se reposait un peu en chemin.

Nicolas le fixa d'un air grave, passa la main dans le collier de l'animal et fit demi-tour à sa suite.

En le voyant rentrer en un tel équipage. Anne comprit tout. Elle appela à l'aide et se précipita à l'endroit que lui avait indiqué son fils. Le vieil homme était étendu, sans connaissance. Il mourut dans la journée, entouré de sa famille, silencieux, ne laissant comme dernier souvenir qu'un long regard, doux et mélancolique à la fois, qu'Anne seule comprit vraiment.

Puis le vieil homme s'en fut rejoindre son épouse Nicolette au cimetière du Puget

Dès les labours de février, Colin délaissa la sculpture pour la plantation de vignes. Il s'attaqua sans relâche aux coteaux qui s'échelonnaient depuis la bastide jusqu'au Puget, le long du chemin où se dressait autrefois, lui avait-on dit, une villa romaine.

La charrue mettait souvent à jour des tuiles, des morceaux de conduite d'eau ou de colonnes de marbre.

Un soir où la suavité de l'air s'accordait avec la douce lumière qui baignait les collines et les toits de tuile rose, où la plaine déroulait son tapis bleuté autour de la Durance et longeait les collines de Trévaresse jusqu'aux Alpilles, Colin vit sa femme apparaître, ses deux fils à la main. Il se hâta de terminer son sillon quand son araire buta contre un énorme bloc.

— Anne ! s'écria-t-il en découvrant une statue de marbre.

Elle représentait un jeune Romain en robe prétexte, le front ceint d'un bandeau. Très droit sur ses jeunes jambes, il semblait prêt à arpenter à nouveau ce qui avait constitué son paysage d'enfance, les vignes, les collines, l'espace retrouvé.

Anne s'immobilisa, saisie par cette vision.

— Horatius, chuchota-t-elle, presque pour elle-même, en reconnaissant le héros de son rêve quelques années auparavant, ce jeune Romain qu'elle avait rencontré une nuit et qu'elle n'était jamais parvenue à oublier tout à fait.

Horatius avait les traits de Grégoire, sa bouche, ferme et bien dessinée, le galbe de son front, fier et sans concession. Horatius venait du fond des âges lui parler de l'homme qu'elle avait aimé, lui dire qu'il ne l'oublierait jamais, dans cet autre monde qui était devenu le sien, et, surtout, qu'il penserait à elle chaque jour qu'elle vivrait sur cette terre du Luberon qu'elle avait faite sienne.

Anne s'élança, le cœur soulevé de joie. Enfin, elle acceptait ce destin, elle aimait ce pays qui les avait accueillis, elle continuait.

Elle, Anne du Luberon.

## DU MÊME AUTEUR

*Moi, dit le chien*
1974

*Bon Séjour à Paris*
Hachette, 1981

*La Béate de la Tour*
France Empire, 1984

*Les Quatre Saisons de Colïn*
Action graphique, 1989
(Prix d'Histoire de l'Académie française, 1990)

*La composition de ce livre*
*a été effectuée par Bussière à Saint-Amand,*
*l'impression et le brochage ont été effectués*
*dans les ateliers de B.C.A. à Saint-Amand-Montrond (Cher)*
*pour les Éditions Albin Michel*

*Achevé d'imprimer en mars 1994*
*N° d'édition : 13676. N° d'impression : 663-94/152.*
*Dépôt légal : avril 1994.*